黑河流域水资源

潘启民　田水利　编著

黄河水利出版社

内 容 提 要

本书利用40年的资料系列,在大量统计、分析、论证的基础上,对黑河流域地表水、地下水、水资源总量、河流水质等进行了详尽的评价,结合现状条件下黑河流域水资源开发利用状况,进行了水资源供需平衡分析,指出了黑河流域水资源开发利用过程中存在的问题,并提出了相应的对策。

本书可供从事水资源研究、社会经济发展计划、国土规划、农业区划等科研、规划管理部门的技术人员参考使用。

图书在版编目(CIP)数据

黑河流域水资源/潘启民,田水利编著.—郑州:黄河水利出版社,2001.12
ISBN 7-80621-297-3

Ⅰ.黑…　Ⅱ.①潘…②田…　Ⅲ.流域-水资源-研究-黑河　Ⅳ.TV211.1

中国版本图书馆 CIP 数据核字(2001)第 073823 号

出 版 社:黄河水利出版社
　　　　　地址:河南省郑州市金水路 11 号　　邮政编码:450003
发行单位:黄河水利出版社
　　　　　发行部电话及传真:0371－6022620
　　　　　E-mail:yrcp@public2.zz.ha.cn
承印单位:黄河水利委员会印刷厂
开本:787mm×1 092mm　　1/16
印张:9.5
字数:220 千字　　　　　　　印数:1－1 000
版次:2001 年 12 月第 1 版　　印次:2001 年 12 月第 1 次印刷

书号:ISBN 7－80621－297－3/TV·185　　　定价:20.00 元

序

水是人类赖以生存的物质基础,是实现社会经济可持续发展不可替代的资源。随着国民经济和人类社会的进一步发展,人类对水的需求会愈来愈多,水的供求矛盾也越来越大。对于深居内陆腹地、降水稀少、蒸发强烈、荒漠化严重、生态环境脆弱的黑河流域来说,进行详尽的水资源数量、质量评价,分析其现状水资源开发利用过程中存在的问题并提出相应的对策显得尤为紧迫。

我国虽然水资源总量不少,但人均占有量不足世界的 1/4,加上时空分布不均,可供人类利用的资源就更加有限,地处西北内陆的黑河流域水资源紧缺状况尤为严重。当前,中共中央、国务院做出了西部大开发的战略部署,而作为西部大开发的物质前提之一就是水资源,保护当地生态环境、实现其社会经济的可持续发展的首要任务就是摸清当地的水资源及其开发利用现状。

本书是综合"九五"国家重点科技攻关项目《西北地区水资源合理开发利用与生态环境保护研究》的科研成果编著,利用 40 年系列水文资料,对流域内的地表水、地下水资源进行了全面评价,分析了流域内水资源开发利用现状,提出了不同水平年的水资源供需状况,总结了水资源开发利用存在的问题,提出了相应的对策。

21 世纪初是我国经济发展的关键时期,加快西部地区发展的条件已经具备。地处河西走廊中部的黑河流域由于其地理位置、国防、军事科研战略地位、民族团结等的重要性,当地国民经济的可持续发展和生态环境建设对水资源的合理利用提出了更高的要求。因此,对该地区水资源的进一步深入研究将是一项长期的任务。

《黑河流域水资源》一书的出版,能够为读者提供有益的帮助,为各级领导科学决策和从事水资源研究、社会经济发展计划、国土规划、农业区划等科研、规划管理部门提供很好的参考。

王 玲
2001 年 10 月

前　言

本专著是"九五"国家重点科技攻关项目《西北地区水资源合理开发利用与生态环境保护研究》中《黑河流域水资源合理开发利用与生态环境保护研究》专题的两个子题的综合，报告中的内容除地下水资源评价由中国科学院兰州沙漠研究所承担外，其余全部由黄河水利委员会黄河水文水资源科学研究所承担。本项研究工作是遵照关于开展西北地区"水资源与生态环境评价及发展趋势研究"的技术工作大纲和技术合同的具体要求进行的。

在干旱缺水地区，一个内陆河流域就是一个完整的生态系统功能单元。因此，评价其水资源数量和质量及其开发利用状况，是地处干旱缺水地区的内陆河流域制定经济建设和国民经济发展规划的中心环节。黑河是我国西北地区较大的内陆河，流经青、甘、蒙三省(自治区)，战略地位十分重要。流域中游的张掖地区，地处古丝绸之路和今日欧亚大陆桥之要地，农牧业开发历史悠久，素有"金张掖"之美称；下游的额济纳旗，有我国与蒙古长507km的边境线和重要的国防科研基地，下游末端的额济纳绿洲既是阻挡风沙侵袭的天然屏障，也是当地人民繁衍生息、国防科研和边防建设的重要依托。

本专著分水资源评价、水资源开发利用现状及存在问题研究等项内容。水资源评价部分，共搜集21个水文站、29个小河小沟径流观测点、63个雨量站、28个蒸发站共二千多站年的资料和地下水动态观测资料及有关分析成果，如水文地质参数等。水资源开发利用现状及存在问题部分，对现状(1995年)条件下水资源开发利用中的供水、用水、耗水、需水量以及水资源供需平衡等问题进行了分析，提出了水资源开发利用过程中存在的问题，并分析了相应对策。

参加研究的技术人员共有十多人，主要完成人员有潘启民、田水利、王玲、龚家栋，还有刘九玉、蒋秀华、张培德、张玮、张学成、张诚、郝国占、杨汉颖、何炜等。本书由潘启民、田水利撰写。

吴爕中、余应中、张钰高级工程师等在本专著编写过程中，始终给予指导，特此感谢。

本专著受时间、资料及编者水平的限制，有些方面分析论证不够，请批评指正。

作　者

2001 年 10 月

目 录

第一章 流域概况

一、自然概况

1.1 地形、地貌

黑河属内陆河流,地处河西走廊和祁连山中段,位于东经 97°37′~102°06′,北纬 37°44′~42°40′之间;流域范围,西以黑山与疏勒河为界,东以大黄山与石羊河接壤,南起祁连山分水岭,北止居延海,流域面积为 128 283.4km²。黑河流域地势南高北低,地形复杂,按海拔高度和自然地理特点分为上游祁连山地、中游走廊平原和下游阿拉善高原三个地貌类型区。

1.1.1 祁连山地

黑河上游位于青藏高原北缘的祁连山地,主要山脉有疏勒南山、讨赖山、走廊南山,山峰海拔高程都在 4 000m 以上,山脚海拔高程一般为 2 000m,最高峰海拔 5 584m,是黑河的产流区和发源地。植被属山地森林草原,生长高山灌丛和乔木林,呈片状分布,垂直带谱极为分明,海拔高程4 000~4 500m为高山垫状植被带,3 800~4 000m为高山草甸植被带,3 200~3 800m为高山灌丛草甸带,2 800~3 200m为山地森林草原带,2 300~2 800m为山地干草原带,2 000~2 300m为草原化荒漠带。植被的分布对调蓄径流、涵养水源起着重要的作用。土壤类型为高山寒冷荒漠土壤系列、高山草甸土壤系列、山地草甸草原土壤系列、山地草原土壤系列和山地森林土壤系列。主要土类有寒漠土、高山草甸土(寒冻毡土)、高山灌丛草甸土(泥炭土型寒冻毡土)、高山草原土(寒冻钙土)、亚高山草甸土(寒毡土)、亚高山草原土(寒钙土)、灰褐土、山地黑钙土、山地钙土等。土壤垂直带分布也很明显,海拔4 000~4 500m为寒漠土,3 600~4 000m为高山灌丛草原土和高山灌丛草甸土,3 200~3 600m为亚高山灌丛草甸土,2 600~3 200m的阴坡为灰褐土,阳坡为山地栗钙土,2 300~2 600m为山地栗钙土,1 900~2 300m为山地黑钙土。

1.1.2 走廊平原

黑河中游位于河西走廊中段,地势平坦开阔,海拔高程1 000~2 000m,在祁连山与北山之间为双向不对称倾斜平原,两倾斜平原的交汇地带为细土平原,山麓分布连续的裙状洪积扇,面上分布不同厚度的表土层,也有部分裸露洪积戈壁。按照地质构造,自东向西分为大马营盆地、山丹盆地、张掖盆地和酒泉盆地。北山山地(龙首山)位于走廊以北,海拔高程大部为1 500~2 000m,龙首山主峰达3 616m。山前冲积扇和走廊平原分布灌溉绿洲,栽培农作物和林木,呈现出人工植被景观,是黑河的主要耗水区。土壤类型为灰棕荒漠土和灰漠土,除地带性土类外,还有灌淤土(灌溉耕作土)、盐土、潮土(草甸土)、潜育土(沼泽土)和风沙等非地带性土壤。

1.1.3　阿拉善高原

黑河下游属内蒙古高原西部的阿拉善高原,系由一系列剥蚀的中、低山和干三角洲、盆地组成,海拔高程980~1 200m,除金塔盆地位于讨赖河下游外,黑河干流下游是巨大的弱水洪积冲积扇,分布有古日乃湖、古居延泽、东西居延海等一系列湖盆洼地和广阔的沙漠、戈壁。下游河流两岸、三角洲及冲积扇缘的湖盆洼地生长有荒漠地区特有的荒漠河岸林、灌木林和草甸植被,呈现荒漠天然绿洲景观,是径流消失区。土壤类型同河西走廊。

1.2　气候

流域地处欧亚大陆腹地,远离海洋,属极强大陆性气候。夏季:东南太平洋暖湿气流可途径我国大陆,翻越秦岭和黄土高原,影响本区;西南气流因受青藏高原影响,可把印度洋和孟加拉湾等南亚洋面的水汽带入区内的东部;西部大西洋的北部北冰洋气流,远途跋涉欧亚大陆,经中亚、黑海,翻越准格尔界山、天山,到本区西部已是尾翼,变得水汽缺少、空气干燥,影响较弱。冬季:本区在蒙古、西伯利亚高压控制之下,显得格外寒冷和干燥。

黑河流域横跨两个不同的气候区:南部祁连山区属青藏高原的祁连—青海湖区,河西走廊及阿拉善高原属温带蒙—甘区。本区气候具有大陆性气候和青藏高原气候综合影响的特点。

1.2.1　祁连山地

气候属青藏高原的祁连山—青海湖气候区,降水多,蒸发小,气温低,高寒阴湿是本区气候的基本特点,各项气象要素的垂直带分布十分明显,降水量随高程的增高而增加,蒸发量随高程的增高而减小,气温随高程的增高而变冷,湿度随高程的增高而增大,日照时数随高程的增高而减短。祁连山地气象要素情况,详见表1-1。

表1-1　　　　　　　　　　　祁连山地气象要素简况

垂直带	年降水量(mm)	年蒸发量(mm)	年平均气温(℃)	最冷月平均气温(℃)	最热月平均气温(℃)	年平均相对湿度(%)	年日照时数(h)	无霜期(d)
高　山(海拔高程>3 600m)	350~500	700	-5~2	-18~-16	7~9	>65	2 200~2 700	
中高山(3 100~3 600m)	350~450	700~1 300	-4~1	-16~-14	9~11	60~65	2 600~2 900	
中　山(2 600~3 100m)	300~400	1 300~1 600	-1~1.5	-14~-13	11~13.5	55~60	2 700~2 900	100~110
低　山(2 000~2 600m)	250~350	1 600~2 000	1.5~4.0	-13~-12	13.5~18	50~55	2 800~3 000	110~125

1.2.2　走廊平原

河西走廊的气候属温带蒙—甘区的河西走廊温带干旱亚区,与上游祁连山地比较,降水量减少,蒸发量增大,气温增高,湿度变小,日照时间增长,干旱是本区气候的基本特点。

据统计,区内多年平均年降水量由西南部的 200mm 向东北减少至 55mm,多年平均年蒸发量由西南部的 1 200mm 向东北增至 2 200mm,年平均气温 7℃,年相对湿度 52%,年日照时数 3 085h。

1.2.3 阿拉善高原

阿拉善高原的气候属温带蒙—甘区的阿拉善和额济纳荒漠极端干旱亚区,区内降水量稀少,蒸发强烈,冬春干冷而漫长,夏秋酷热而短促,日照长、风沙大是本区气候的基本特点。多年平均年降水量 47.3mm,由南部的 55mm 减至北端 40mm 左右,年干旱日数 180～206d,最长无雨日数 252d,最长连续降雨日数 4d,降雨量为 10mm,多年平均年蒸发量 2 248.8mm,由南部的 2 200mm 渐增至北端的 2 400mm,为降雨量的 4.8 倍;年平均气温 8.2℃,极端最高气温 43.1℃,极端最低气温 -37.6℃,最热月平均气温 26.1℃,最冷月平均气温 -12.9℃,无霜期 120～140d,年日照时数 3 446h,年平均相对湿度 32%～35%,干旱指数高达 82,风沙多,风向多为西北风,多年平均风速 4.2m/s,最大风速 24m/s,八级或大于八级大风年平均 88 次,年平均沙暴日数 19.9d,最高可达 46d。

1.3 河流水系、湖泊、冰川

1.3.1 河流水系

黑河水系由 35 条独立出山河流(或沟道)组成,其中集水面积 100km^2 以上的河流有 18 条。主要河流自西向东有讨赖河(北大河)、酒泉洪水河、丰乐河、酒泉马营河、梨园河、黑河、大渚马河、民乐洪水河、民乐马营河,较大河沟自西向东有红山河、观山河、摆浪河、大磁窑、大野口、海潮坝、马蹄河、小渚马河、童子坝河。这些河流均发源于祁连山地,流经青海省,在甘肃省金塔县鼎新以上分别汇入黑河,注入内蒙古的居延海(详见图 1-1)。按照来水和用水系统,习惯地以酒泉马营河和酒泉洪水河为界把黑河流域分为东、中、西三个水系,西部水系包括酒泉洪水河在内的以西流域,干流为讨赖河,主要支流有酒泉洪水河,洪水河在金塔上游汇入讨赖河。讨赖河发源于青海省讨赖南山,流入甘肃酒泉盆地,在酒泉城北纳酒泉洪水河,流出佳山峡入金塔盆地,折向东北于鼎新汇入黑河,河长 387km,流域面积约 16 300km^2。中部水系西以酒泉洪水河流域为界,东至马营河,主要河流有红山河、观山河、丰乐河、酒泉马营。东部水系包括马营河以东流域,干流为黑河,主要支流有摆浪河、梨园河、大野口、海潮坝、小渚马河、大渚马河、童子坝河、民乐洪水河、民乐马营河等,这些支流在正义峡以上汇入黑河。黑河上游分为东西两岔,东岔名为八宝河,发源于青海省俄博滩东的景阳岭,东西流向,河长 101km,流域面积 2 452km^2;西岔名为野牛沟,发源于青海省讨赖南山的铁里干山,西北东南流向,河长 182km,流域面积 4 589km^2。东西两岔在黄藏寺汇合,折向北流至莺落峡出祁连山,进入甘肃省张掖盆地,在张掖城西北约 10km 处纳山丹河(马营河)、民乐洪水河折向西北,经临泽县、高台县汇梨园河、摆浪河,于正义峡穿越走廊北山,在鼎新与讨赖河汇合,称弱水,又名额济纳河,流入内蒙古后注入居延海,全长 821km,流域面积 128 283.4km^2。出山口莺落峡以上河长 303km,流域面积 10 009km^2。

1.3.2 湖泊

黑河流域天然湖泊很少,只在黑河干流的尾闾有东居延海(索果诺尔)和西居延海(嘎

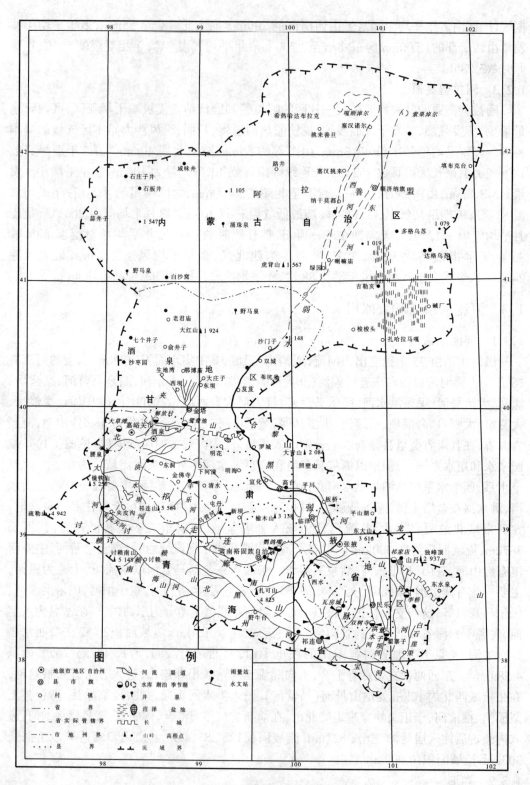

图 1-1 黑河流域水系图

顺诺尔），由黑河的地表水、地下水补给，系淡水湖。历史上西居延海湖水面积 350km²，1961 年干涸，东居延海 1958 年湖水面积 35.5km²，现有水面 20 多 km²，平均水深约 1m，蓄水量约 2 000 万 m³。

1.3.3 冰川

黑河流域河流源头分布有大小冰川 428 条，覆盖面积 129.79km²，估计冰储量 3.295 9km³，年补给河流的冰川融水量约 3.65 亿 m³，占流域地表径流量 37.28 亿 m³ 的 9.8%（见表 1-2）。

表 1-2 　　　　　　　　　　　黑河流域河流源头冰川情况

河流名称	源头山脉	冰川（条）	冰川面积（km²）	冰川冰储量（km³）	平均粒雪线（m）	冰川末端(m)		最大冰川	
						最高	最低	面积（km²）	长度（km）
大渚马河	走廊南山北坡	55	19.96	0.504 8		4 610	4 100	1.15	1.8
夹道沟－潘家河	走廊南山	15	4.32	0.095 6		4 410	4 250	0.67	0.9
八宝河	走廊南山南坡托来山北坡	35	9.86	0.219 9		4 700	4 200	0.89	1.4
柯柯里河	托来南山	55	18.77	0.521 6	4 440	4 770	4 180	1.65	1.6
黑河上游	托来山北坡	78	20.32	0.451 0		4 740	4 220	2.81	2.2
长千河等	走廊南山	36	5.73	0.092 7		4 560	4 150	0.35	1.0
梨园河	走廊南山	64	16.18	0.388 4	4 500～4 600	4 780	4 160	1.62	2.0
摆浪河	走廊南山	30	15.13	0.480 9	4 300～4 600	4 580	4 180	1.51	2.5
马营河	走廊南山	60	19.52	0.541 0	4 410～4 620	4 750	4 180	1.87	1.9

据中国科学院兰州冰川冻土研究所考察，"七一"冰川 1975 年比 1956 年最大退缩距离为 40m，平均每年退缩 2m，1984 年通过冰川末端标志的重复测量发现，近 10 年冰川最大后退距离为 10m，年平均后退 1m，已基本接近稳定状态，而且海拔 4 500m 以上的冰面开始增厚，平均增厚值为 8m，冰川可能在本世纪末或下世纪初出现前进现象。

1.4 水文地质条件

黑河流域位于河西走廊中段，受"盆地系列式"山前平原的独特地质、地貌条件制约，水文地质的主要特征可以概括为：巨厚的第四纪干三角洲相含水层广泛分布，地下水与地表水之间极为密切的相互转化关系，地下水水文地球化学分带，以及径流与蒸发相平衡的区域均衡。

流域南部呈南东—北西走向的祁连山由古生界变质岩和中基性－中酸性火山岩及岩浆岩构成，地势高亢，冷龙岭主峰海拔 5 254m，在 4 500m 上有现代冰川发育。受山区降水和冰雪融水的补给，变质岩系普遍赋存有水质良好的裂隙水，但富水地段仅限于岩溶化的碳酸岩及与山体走向基本一致的横向断裂带。上古生界及中古生界的灰岩、砂砾岩及砂岩含有裂隙－孔隙层状水。降深 30m 的单井涌水量，祁连山区一般为 $50\sim100m^3/d$，富水地段可达 $100\sim500m^3/d$。已经荒漠化的走廊北山则为前震旦纪变质岩、古生代岩浆岩组成，海拔 2 000m 左右。龙首山区一般为 $10\sim50m^3/d$，北山及其他山体地下水匮乏，仅在大断裂附近或局部变质岩、岩浆岩强风化地段有微咸－咸地下水，涌水量一般小于 $10m^3/d$。

夹峙于南、北山之间的走廊平原是中新生代的大幅度沉降带，海拔 1 200～2 000m。由于中新生代以来一系列的北西和近东西向的断裂和沿断裂产生的断块分布，将走廊平原分割成许多规模不等的构造－地貌盆地，自东向西分别为大马营盆地、山丹盆地、张掖盆地、酒泉盆地、北山以北则为鼎新盆地和金塔鸳鸯池盆地。下游的额济纳冲积洪积平原属阿拉善高原，由一系列剥蚀中、低山和干三角洲、盆地组成，包括古日乃湖、古居延泽、东居延海和西居延海等湖盆洼地和广阔的戈壁、沙漠，海拔 980～1 200m。中游盆地南缘与祁连山为断层接触，这个压性断裂带连同祁连山北麓中新生界褶皱一起构成一条阻水屏障，使祁连山区的地下径流很难直接进入盆地；盆地北缘和东侧与山体也多为断层接触，因此盆地具有山间断陷性质。新的勘探证实，在民乐六坝东南和高台新坝北侧存在隐伏断层，断层抬高了近山侧地下水位，从而使这些地带在 146～273m 深度内找到了可供饮用的地下淡水，填补了这个盲肠地带的水文地质空白。下游盆地南侧与阿拉善台隆为断层接触，东侧与巴丹吉林沙漠也为断层所限，北、西两侧与山体为山足面接触，而盆地内的狼心山—木吉湖隆起控制了区内第四系岩性的分布。

上述构造－地貌盆地也是水文地质盆地，因为这些盆地中有为盆地的构造－地貌所限制的含水层系以及各自独立的补给、径流、排泄过程。这些盆地不仅是独立的水文地质单元，而且通过河水与地下水的相互转化，使南、北方向上同属于一个河系的两个或三个盆地中的水流联结成统一的"河流—含水层"系统，如干流水系的张掖盆地、鼎新盆地和额济纳盆地；西部水系的酒泉盆地和金塔鸳鸯池盆地。盆地内巨厚（数百米至千余米）的以松散为主的第四纪沉积物具有丰富的孔隙水，尤以中、上更新统地层是盆地最为富水的主要含水层。根据含水层的结构和水动力特征，盆地地下水分为潜水和承压水两个亚系统。潜水分布于张掖、酒泉盆地南部扇形砾石平原及额济纳盆地西部，含水层主要为砾卵石及砂砾石，潜水位埋藏深度 50～100m，额济纳盆地 5～30m，自南向北逐渐变浅，含水层厚度 100～200m，额济纳盆地 30～70m，矿化度小于 1.0g/L。承压水分布于张掖盆地、酒泉盆地北部的细土平原及额济纳盆地东北部。由潜水区至承压水区，含水层的层数由少增多，单层厚度减小，导水性减弱。中游盆地含水层主要为砂砾石及砂砾卵石，厚度 50～100m，以淡水为主；下游盆地含水层主要为砂、砾砂及砂砾石，厚度 20～50m，以微咸－咸水为主。在承压水区没有稳定的区域性隔水层，各含水层彼此分隔又有一定的水力联系。典型水文地质剖面见图 1-2、图 1-3。

20 世纪 70 年代以来，由于地下水的开采量逐渐增大，使本来没有稳定隔水层的承压含水层局部地段彼此串通，水力联系更为密切。因此，在进行富水性分区时与潜水统一考虑。中游盆地大部分地区降深 5m 的单井涌水量 1 000～5 000m³/d，下游盆地大部分地区单井涌水量 100～1 000m³/d，局部地段 1 000～5 000m³/d。

基本汇集了山区降水、地下水和冰雪融水的祁连山河流的河水是盆地地下水的主要

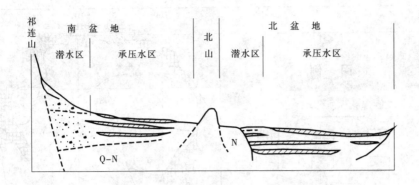

图 1-2　河西走廊水文地质剖面示意

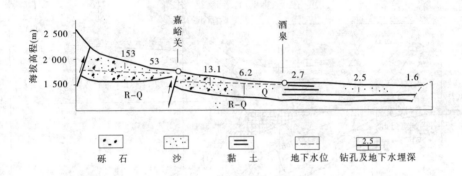

图 1-3　酒泉盆地水文地质剖面示意

补给来源。据统计,中游盆地的地下水 70% 来自河(渠)水入渗,此外为来自山区的侧向径流、田间灌溉水以及降水和凝结水的入渗。在戈壁带形成的地下水向细土带运动,含水层导水性减弱,径流强度减弱(见图 1-4)。其排泄形式为泉水溢出、蒸发、蒸腾和人工开采。下游盆地与中游盆地有所不同,地下水来源于中游盆地的侧向流入和渠系入渗补给占 90%(民勤盆地),降水和凝结水补给仅占 10%,其排泄方式为蒸发、蒸腾和开采。不分补给、径流和排泄区,补给和排泄几乎同时在全区发生为其地下水运动的特点。

根据同位素(^{14}C、T)研究,核爆期(1962 年)前入渗补给的地下水仅存在于山前水位深藏(大于 100m)带,而广大戈壁平原与细土平原则为核爆前期(1954～1961 年)和最近(1963 年以后)渗入补给的。同时,说明由山前至盆地内部,垂向水交替逐渐增强,洪积扇群带的中下部是地下水的主要补给带。

受径流、蒸发和溶滤作用的制约,黑河流域地下水自补给区至排泄区呈明显的水文地球化学分带;中游在南部山前水位深藏带,受山缘基岩裂隙水侧向补给的影响,存在矿化度大于 1.0g/L、水化学类型为 Cl$^-$—SO$_4^{2-}$ 型的微咸水带;随着远离山体,大量低矿化(小于 0.5g/L)河渠水的渗入,稀释了侧向补给的基岩裂隙水并改变了原有的化学成分,呈现矿化度小于 1.0g/L 的 HCO$_3^-$ 型淡水带;随后,在蒸发浓缩作用下,表层浅水呈现矿化度 1.0～3.0g/L 的 SO$_4^{2-}$ 型微咸水带,局部洼地和盐池则为矿化度大于 3.0g/L 的 Cl$^-$ 型咸

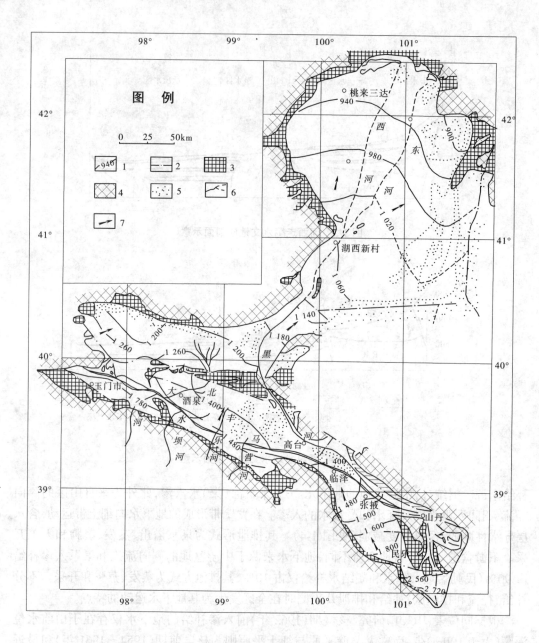

1—潜水等水位线,数字为水位高程(m);2—断层;3—第四系含水不均或透水不含水地层;
4—基岩山区;5—沙漠;6—季节性河流;7—潜水流向

图1-4 黑河流域平原区潜水等水位线

水带;下游则是在河流附近为 HCO_3^- 型淡水带,向下游和两侧则递变为 SO_4^{2-} 型微咸水带及 Cl^- 型咸水带。在垂向剖面(300m 以内)上,受大陆盐化作用呈现越接近地表矿化度越高的水质分异规律,以至在微咸水、咸水分布区仍有深层淡水存在。中游在地下水流滞缓的张掖红沙窝、高台南北和盐池一带,下游在地下水流滞缓的盆地东、北侧边缘地带,有高氟(大于 1.0mg/L)地下水分布。

二、水资源分区

2.1 分区目的和原则

2.1.1 分区目的

水资源的开发利用与各种自然、社会、经济条件,与工、农、林、牧业的发展和合理布局,与水资源特征及水利工程建设等许多方面关系密切。以上这些在黑河流域的上、中、下游,东、中、西部水系等均存在不同程度的差异,为了因地制宜地指导水利建设,切合实际开发利用水资源,需要划分区域、分别情况进行水资源开发利用的研究。

2.1.2 分区原则

(1)同一分区内的自然地理条件(地形、地貌、气象、水文等)、水资源开发利用条件、水利化特点和发展方向基本相同或相似,而邻近地区存在着明显的差异。

(2)反映不同水资源特点,并保持水系的完整性。

(3)适当保持行政区划的完整性,并照顾到干支流上已建水利工程的作用。

2.2 水资源分区

根据以上分区原则,黑河流域共划分为 17 个水资源开发利用分区,其中青海省 2 个,甘肃省 14 个,内蒙古自治区 1 个,同时又分别分布在黑河的东部、中部、西部三个水系中,并相对集中于水资源开发利用程度最高的走廊平原区。分区结果见表 1-3、表 1-4、图 1-5。

黑河流域水资源开发利用分区编号说明:

X_{ABCD} 中:

1. X 为一级流域分区,代表我国西北内陆河区。

2. A 为二级流域分区,代码为"71",代表河西走廊内陆河区。

3. B 为三级流域分区,代码为"02",代表黑河流域。

4. C 为四级流域分区。代码"1~3",依次分别代表黑河流域东部、中部、西部三个水系。其中酒泉马营河以东部分为东部水系,代码为"1",又划分为 5 个计算分区,而其中的"东部平原"又进一步划分为 5 个计算单元,则东部水系共有 9 个计算单元。酒泉洪水河至酒泉马营河(含马营河)为中部水系,代码为"2",又划分为 3 个计算分区。酒泉洪水河以西(含洪水河)为西部水系,代码为"3",又划分为 4 个计算分区,而其中的"西部酒泉走廊"又进一步划分为 2 个计算单元,则西部水系共有 5 个计算单元。

5. D 为五级分区,即计算单元分区,代码由两位数组成,自各水系上游至下游依次由"10"~"50"编排。

表 1-3　　　　　　　　　　黑河流域水资源开发利用现状流域分区

流域	水系	地貌类型	分区名称	分区编号	面积（km²）
黑河	东部	山区	东部海北山区	$X_{7102110}$	7 138.2
			东部张掖山区	$X_{7102120}$	9 721.3
			东部山区		16 859.5
		平原	东部山丹走廊	$X_{7102131}$	3 698.3
			东部民乐走廊	$X_{7102132}$	1 929.1
			东部张掖走廊	$X_{7102133}$	3 658.0
			东部临泽走廊	$X_{7102134}$	2 733.1
			东部高台走廊	$X_{7102135}$	3 582.2
			东部酒泉鼎新	$X_{7102140}$	7 764.7
			东部平原		23 365.4
		高原	东部额济纳	$X_{7102150}$	62 201.6
			东部高原		62 201.6
			黑河东部	$X_{7102100}$	102 426.5
	中部	山区	中部张掖山区	$X_{7102210}$	1 599.7
			中部山区		1 599.7
		平原	中部明花盐池	$X_{7102230}$	1 995.3
			中部酒泉清金	$X_{7102220}$	1 306.5
			中部平原		3 301.8
			黑河中部	$X_{7102200}$	4 901.5
	西部	山区	西部海北山区	$X_{7102310}$	2 649.6
			西部张掖山区	$X_{7102320}$	6 920.7
			西部山区		9 570.3
		平原	西部酒泉	$X_{7102331}$	2 102.0
			西部金塔鸳鸯	$X_{7102332}$	7 807.3
			西部嘉峪关	$X_{7102340}$	1 475.8
			西部平原		11 385.1
			黑河西部	$X_{7102300}$	20 955.4
			黑河流域	X_{7102}	128 283.4

表 1-4 **黑河流域水资源开发利用现状行政分区**

流域	省(区)	地(州、市、盟)	分区名称	分区编号	面积（km²）
黑河	青海	海北	东部海北山区	$X_{7102110}$	7 138.2
			西部海北山区	$X_{7102310}$	2 649.6
			海北州		9 787.8
		青海省			9 787.8
	甘肃	张掖	东部张掖山区	$X_{7102120}$	9 721.3
			中部张掖山区	$X_{7102210}$	1 599.7
			西部张掖山区	$X_{7102320}$	6 920.7
			东部山丹走廊	$X_{7102131}$	3 698.3
			东部民乐走廊	$X_{7102132}$	1 929.1
			东部张掖走廊	$X_{7102133}$	3 658.0
			东部临泽走廊	$X_{7102134}$	2 733.1
			东部高台走廊	$X_{7102135}$	3 582.2
			中部明花盐池	$X_{7102230}$	1 995.3
		张掖地区			35 837.7
		酒泉	东部酒泉鼎新	$X_{7102140}$	7 764.7
			中部酒泉清金	$X_{7102220}$	1 306.5
			西部酒泉	$X_{7102331}$	2 102.0
			西部金塔鸳鸯	$X_{7102332}$	7 807.3
		酒泉地区			18 980.5
		嘉峪关	西部嘉峪关	$X_{7102340}$	1 475.8
			嘉峪关市		1 475.8
	甘肃省				56 294.0
	内蒙古	阿拉善	东部额济纳	$X_{7102150}$	62 201.6
			阿拉善盟		62 201.6
		内蒙古自治区			62 201.6
	黑河流域			X_{7102}	128 283.4

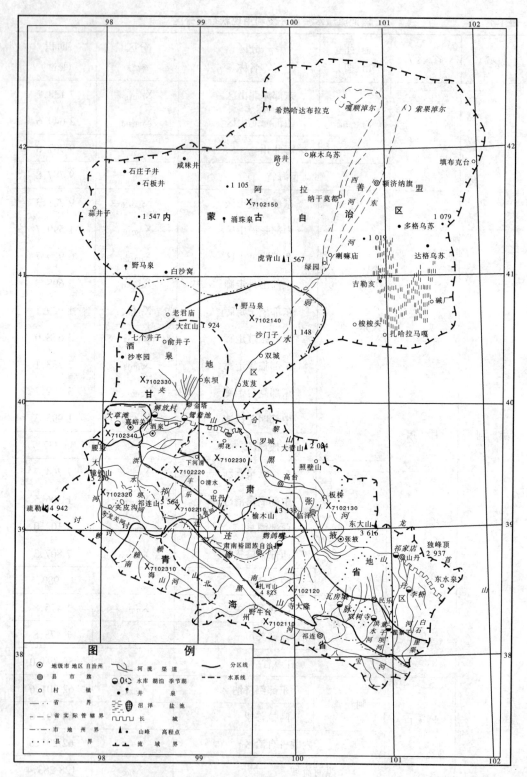

图 1-5　黑河流域水资源分区图

三、社会经济概况

3.1 行政区划

黑河流域跨青海、甘肃、内蒙古三个省(自治区)。包括地级行政区5个,有青海省的海北州,甘肃省的张掖地区、酒泉地区、嘉峪关市,内蒙古自治区的阿拉善盟。县(旗、市)10个,分别是青海省的祁连县,甘肃省的山丹县、民乐县、肃南裕固族自治县、张掖市、临泽县、高台县、嘉峪关市、酒泉市、金塔县,内蒙古自治区的额济纳旗(详见图1-1)。

3.2 人口

1995年,黑河流域人口总数181.26万人。人口密度约14.1人/km²,其中农业人口140.62万人,非农业人口40.65万人。青海省3.37万人,占全流域总人口的1.9%,其中农业人口2.57万人,非农业人口0.80万人;甘肃省176.32万人,占全流域总人口的97.2%,其中农业人口137.70万人,非农业人口38.63万人;内蒙古自治区1.57万人,占全流域总人口的0.9%,其中农业人口0.35万人,非农业人口1.22万人(详见表1-5、表1-6)。

3.3 土地

黑河流域土地面积128 283.4km²,其中山丘区28 029.5km²,占21.9%,农业绿洲面积55 973.3km²,占43.6%,荒漠区44 280.6km²,占34.5%。青海省土地面积9 787.8km²,占全流域土地面积的7.6%,全部为山丘区;甘肃省土地面积56 294.0km²,占全流域的43.9%,其中山丘区18 241.7km²,农业绿洲区13 766.6km²,荒漠区24 285.7km²;内蒙古自治区土地面积62 201.6km²,占全流域的48.5%,农业绿洲区(包括草原)42 206.7km²,荒漠区19 994.9km²。

流域内共有耕地面积409 907hm²,其中青海省2 833hm²,占流域全部耕地面积的0.7%,甘肃省403 840hm²,占98.5%,内蒙古自治区3 233hm²,占0.8%。

流域内共有灌溉面积323 067hm²,其中青海省1 267hm²,占全流域灌溉面积的0.4%;甘肃省275 133hm²,占85.2%;内蒙古自治区46 667hm²(包括草场和林地灌溉),占14.4%。

黑河流域各分区土地、耕地、灌溉面积情况,详见表1-5、表1-6。

3.4 经济状况

1995年,黑河流域工业总产值75.41亿元,其中青海省0.63亿元,占全流域工业总产值的0.8%;甘肃省74.55亿元,占98.9%;内蒙古自治区0.22亿元,占0.3%。粮食产量124.32万t,其中青海省0.47万t,占全流域粮食产量的0.4%;甘肃省122.89万t,占98.8%;内蒙古自治区0.96万t,占0.8%。大小牲畜共计283.37万头(只),其中青海省50.1万头(只),占全流域大小牲畜总头(只)数的17.7%;甘肃省218.07万头(只),占77.0%;内蒙古自治区15.18万头(只),占5.3%。黑河流域各分区1995年各项经济指标,详见表 1-5、表 1-6。

表 1-5　　　　　1995 年黑河流域流域分区社会经济情况

流域	水系	地貌类型	分区	人口(万人)			土地面积(km²)	耕地面积(hm²)	灌溉面积(hm²)		
				合计	农业	非农业			有效	实灌	耕地
黑河	东部	山区	东部海北山区	3.37	2.57	0.80	7 138.20	2 833	1 267	1 100	1 267
			东部张掖山区	2.35	1.65	0.70	9 721.33	2 560	1 727	953	953
			东部山区	5.72	4.22	1.50	16 859.53	5 393	2 993	2 053	2 220
		平原	东部山丹走廊	19.09	16.66	2.43	3 698.33	83 960	26 700	24 000	25 573
			东部民乐走廊	22.85	21.61	1.24	1 929.13	77 560	42 540	37 133	39 553
			东部张掖走廊	44.92	34.68	10.24	3 658.00	78 773	58 413	49 800	53 033
			东部临泽走廊	14.07	12.63	1.44	2 733.13	29 587	30 973	17 667	18 840
			东部高台走廊	12.45	11.14	1.31	3 582.20	23 827	22 347	17 853	19 007
			东部酒泉鼎新	2.68	2.47	0.21	7 764.73	7 647	7 033	7 033	5 427
			东部平原	116.06	99.19	16.87	23 365.40	301 353	188 007	153 487	161 433
		高原	东部额济纳	1.57	0.35	1.22	62 201.60	3 233	46 667	39 667	3 233
			东部高原	1.57	0.35	1.22	62 201.60	3 233	46 667	3 9667	3 233
			黑河东部	123.35	103.76	19.59	102 426.40	29 980	237 667	195 207	166 887
	中部	山区	中部张掖山区	0.13	0.13	0	1 599.73				
			中部山区	0.13	0.13	0	1 599.73				
		平原	中部明花盐池	3.14	2.74	0.40	1 995.33	5 880	5 400	4 240	4 507
			中部酒泉清金	9.58	8.88	0.70	1 306.53	24 467	19 807	16 467	18 393
			中部平原	12.72	11.62	1.10	3 301.80	30 347	25 207	20 707	22 900
			黑河中部	12.85	11.75	1.10	4 901.53	30 347	25 207	20 707	22 900
	西部	山区	西部海北山区				2 649.60				
			西部张掖山区	0.13	0.13		6 920.73				
			西部山区	0.13	0.13		9 570.33				
		平原	西部酒泉	21.97	13.78	8.19	2 102.00	37 940	30 713	25 540	28 527
			西部金塔鸳鸯	10.52	8.77	1.75	7 807.33	27 107	24 947	17 647	19 253
			西部嘉峪关	12.45	2.43	10.02	1 475.80	4 533	4 533	3 233	4 600
			西部平原	44.98	24.98	19.90	11 385.13	69 580	60 193	46 420	52 380
			黑河西部	45.06	25.11	19.96	20 955.40	69 580	60 193	46 420	52 380
			黑河流域	181.26	140.62	40.65	128 283.40	409 907	323 067	262 333	242 167

流域	水系	地貌类型	分 区	作物播种面积(hm²)	草原面积(hm²)	林地面积(hm²)	牲畜(万头)		工业产值(亿元)
							大牲畜	小牲畜	
黑河	东部	山区	东部海北山区	2 613	288 327	72 393	9.67	40.43	0.63
			东部张掖山区	1 533	392 667	98 593	1.96	19.37	0.57
			东部山区	4 147	680 993	170 987	11.63	59.80	1.20
		平原	东部山丹走廊	53 993	251 153	26 613	6.49	25.41	4.72
			东部民乐走廊	53 500	6 500	43 580	7.01	19.23	3.22
			东部张掖走廊	59 420	133 473	14 320	18.02	31.65	14.06
			东部临泽走廊	17 667	71 400	13 447	6.06	7:24	4.88
			东部高台走廊	17 853	168 947	5 760	4.67	10.35	3.05
			东部酒泉鼎新	5 427	23 113	7 107	0.57	2.28	0.39
			东部平原	207 860	654 587	110 827	42.82	96.16	30.32
		高原	东部额济纳	1 700	1 141 333	393 333	3.16	12.02	0.22
			东部高原	1 700	1 141 333	393 333	3.16	12.02	0.22
			黑河东部	213 707	2 476 913	675 147	57.61	167.98	31.74
	中部	山区	中部张掖山区		85 640	21 507	0.19	1.87	
			中部山区		85 640	21 507	0.19	1.87	
		平原	中部明花盐池	4 340	101 473	3 220	1.21	3.75	
			中部酒泉清金	19 573	10 040	767	3.06	8.01	2.05
			中部平原	23 913	111 513	3 987	4.27	11.76	2.05
			黑河中部	23 913	197 153	25 493	4.46	13.63	2.05
	西部	山区	西部海北山区			40 873			
			西部张掖山区		369 893	106 760	0.82	8.12	
			西部山区		369 893	147 633	0.82	8.12	
		平原	西部酒泉	30 360	16 173	1 227	4.75	12.43	8.84
			西部金塔鸳鸯	19 253	81 960	25 193	2.03	8.08	3.04
			西部嘉峪关	2 973	9 600	747	0.51	2.95	29.73
			西部平原	52 587	107 733	27 167	7.29	23.46	41.61
			黑河西部	52 587	477 627	174 800	8.11	31.58	41.61
			黑河流域	290 207	3 151 693	875 440	70.18	213.19	75.40

表 1-6　　　　　　　　　　　1995 年黑河流域行政分区社会经济情况

分 区	人口(万人)			土地面积 （km²）	耕地面积 （hm²）	灌溉面积(hm²)		
	合计	农业	非农业			有效	实灌	耕地灌溉
黑河流域	181.26	140.62	40.65	128 283.40	409 907	323 067	262 333	242 100
青海省	3.37	2.57	0.80	9 787.80	2 833	1 267	1 100	1 267
海北州	3.37	2.57	0.80	9 787.80	2 833	1 267	1 100	1 267
甘肃省	176.32	137.70	38.63	56 294.00	403 840	275 133	221 567	237 600
张掖地区	119.13	101.37	17.76	35 837.73	302 147	188 100	151 647	161 467
酒泉地区	44.75	33.90	10.85	18 980.53	97 160	82 500	66 687	71 600
嘉峪关市	12.44	2.43	10.02	1 475.80	4 533	4 533	3 233	4 533
内蒙古自治区	1.57	0.35	1.22	62 201.60	3 233	46 667	39 667	3 233
阿拉善盟	1.57	0.35	1.22	62 201.60	3 233	46 667	39 667	3 233

分 区	作物播种 面积(hm²)	草原面积 （hm²）	林地面积 （hm²）	牲畜(万头)		工业产值 （亿元）
				大牲畜	小牲畜	
黑河流域	290 207	3 151 693	875 440	70.18	213.19	75.40
青海省	2 613	288 327	113 267	9.67	40.43	0.63
海北州	2 613	288 327	113 267	9.67	40.43	0.63
甘肃省	285 893	1 722 033	368 840	57.35	160.74	74.55
张掖地区	208 307	1 581 147	333 800	46.43	126.99	30.5
酒泉地区	74 613	131 287	34 293	10.41	30.80	14.32
嘉峪关市	2 973	9 600	747	0.51	2.95	29.73
内蒙古自治区	1 700	1 141 333	393 333	3.16	12.02	0.22
阿拉善盟	1 700	1 141 333	393 333	3.16	12.02	0.22

第二章 降水与蒸发

一、降水

1.1 基本简况

1.1.1 资料收集

降水资料选自《内陆河流域水文年鉴》和《甘肃省气象年鉴》,对流域内全部水文站、雨量站、气象站等的降水资料进行了全面、系统的整理。全流域共搜集63站1 473站年的资料,其中完整具有同步期(1956~1995年)资料13站,30~39年11站,20~29年10站,10~19年22站,10年以下7站,中游走廊地区站点较密,上、下游较稀。雨量站分布见图1-1。

1.1.2 资料的插补延长

按照泰森法控制点的要求,选取38个雨量站作为基本控制站,均插补延长为1956~1995年同步系列。控制站共有实测资料1 140站年,插补延长380站年,为全期系列的占25%。其中有13站有全期实测资料,12站有30年以上系列,13站为20年以下系列。说明多数站插补成分较少,只有6站确因控制点的需要,插补资料较多。多年平均等值线绘制仍选取上述38站为基本点,其余25站为参考点。

插补延长方法:选取资料长、距离近、降雨特性相似的站作为参证站,建立月雨量相关线,分月插补设计站降水量,或建立年雨量相关曲线插补设计站年雨量,再采用参证站月分配百分数计算设计站月雨量。按75%的相关点据误差不超出±15%的精度作控制,如有突出点据,说明降水特性不同,则不作插补。共建立相关曲线25条,相关系数都在0.85以上,多数达到0.9以上。

1.2 降水量的地区分布

黑河流域由于南北纬度和地形的差异,全流域降水量地区分布极不均匀,其特点是南部多雨,北部干旱,山区多于平原,山地的迎风坡多于背风坡,年降水量总的分布趋势,由南向北、由高山向平原、自东向西递减,特别是南北方向以祁连山和北山分界,形成三个降水带,而且梯度变化很大,多雨中心位于大渚马河上游,多年平均年降水量500mm,少雨区位于北部内蒙古阿拉善地区,多年平均年降水量47.3mm,最小年降水量5.7mm。

全流域多年平均年降水量128.0mm,折合降水总量为164.2亿 m^3,其中青海海北山区年降水量348.1mm,折合降水总量34.1亿 m^3,占全流域的20.8%;甘肃黑河区179.0mm,折合降水总量100.8亿 m^3,占全流域的61.4%;内蒙古黑河区47.3mm,折合降水总量29.4亿 m^3,占全流域的17.9%。黑河流域西部水系153.5mm,折合降水总量

32.2 亿 m³,占全流域的 19.5%;黑河中部水系 216.1mm,折合降水总量 10.6 亿 m³,占全流域的 6.5%;黑河东部水系 118.7mm,折合降水总量 121.5 亿 m³,占全流域的 74.0%。黑河流域各分区多年平均降水量详见表 2-1、表 2-2,多年平均降水量的地区分布,详见图 2-1。

表 2-1　　　　　　　　　　　黑河流域流域分区多年平均年降水量

流域	水系	地貌	分区名称	降水量 (mm)	降水总量 (亿 m³)	占全流域 (%)	不同频率降水量(mm)			
							20%	50%	75%	95%
黑河	东部	山区	东部海北山区	368.2	26.3	16.0	401.3	368.2	338.7	305.6
			东部张掖山区	320.7	31.2	19.0	356.0	317.5	291.8	256.6
			东部山区	340.8	57.5	35.0	371.5	340.8	313.5	282.9
		平原	东部张掖走廊	193.3	30.2	18.4	224.2	189.4	166.2	135.3
			东部酒泉鼎新	56.9	4.4	2.7	74.5	52.9	39.8	26.2
			东部平原	148.0	34.6	21.1	177.6	143.6	121.4	94.7
		高原	东部额济纳	47.3	29.4	17.9	63.4	43.5	31.2	19.9
			东部高原	47.3	29.4	17.9	63.4	43.5	31.2	19.9
			黑河东部	118.7	121.5	74.0	136.4	117.4	103.2	86.6
	中部	山区	中部张掖山区	386.9	6.2	3.8	472.0	375.3	309.5	232.1
			中部山区	386.9	6.2	3.8	472.0	375.3	309.5	232.1
		平原	中部明花盐池	113.4	2.3	1.4	140.6	108.9	87.3	64.6
			中部酒泉清金	164.2	2.1	1.3	200.4	159.4	131.4	98.6
			中部平原	133.6	4.4	2.7	164.3	129.6	105.5	78.8
			黑河中部	216.1	10.6	6.5	263.6	209.6	172.9	129.7
	西部	山区	西部海北山区	293.9	7.8	4.8	340.9	288.0	252.8	205.7
			西部张掖山区	217.7	15.1	9.1	261.2	211.2	178.5	139.3
			西部山区	238.8	22.9	13.9	263.4	211.2	174.2	135.0
		平原	西部酒泉走廊	73.5	7.3	4.5	92.6	69.8	55.1	39.7
			西部嘉峪关	136.7	2.0	1.2	173.6	129.9	102.5	72.5
			西部平原	81.7	9.3	5.7	102.9	77.6	61.3	44.1
			黑河西部	153.5	32.2	19.5	185.7	148.9	124.3	96.7
			黑河流域	128.0	164.2	100.0	147.2	126.7	111.4	93.4

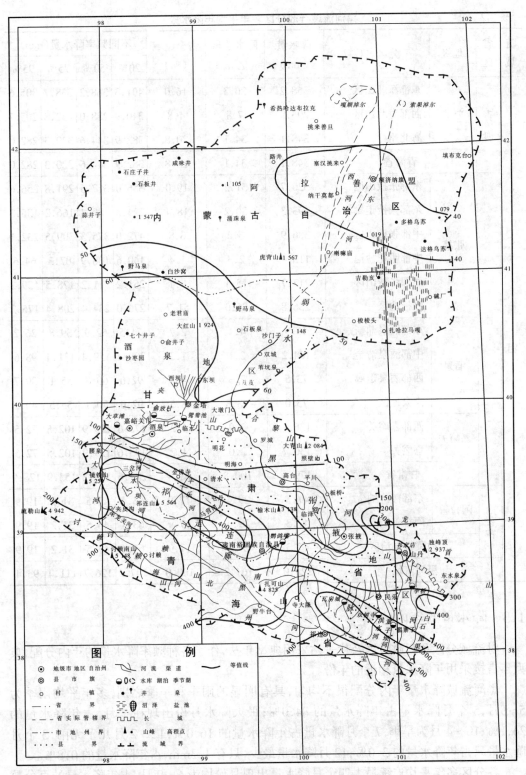

图 2-1　黑河流域多年平均降水量等值线图

表 2-2　　　　　　　黑河流域行政分区多年平均年降水量

流域	省区	地级	分区名称	降水量（mm）	降水总量（亿 m³）	占全流域（%）	不同频率降水量(mm)			
							20%	50%	75%	95%
黑河	青海	海北	东部海北山区	368.2	26.3	16.0	401.3	368.2	338.7	305.6
			西部海北山区	293.9	7.8	4.8	340.9	288.0	252.8	205.7
			海北州	348.1	34.1	20.8	382.9	344.6	320.3	282.0
		青海省		348.1	34.1	20.8	382.9	344.6	320.3	282.0
	甘肃	张掖	东部张掖山区	320.7	31.2	19.0	356.0	317.5	291.8	256.6
			东部张掖走廊	193.3	30.2	18.4	224.2	189.4	166.2	135.3
			中部张掖山区	386.9	6.2	3.8	472.0	375.3	309.5	232.1
			中部明花盐池	113.4	2.3	1.4	140.6	108.9	87.3	64.6
			西部张掖山区	217.7	15.1	9.1	261.2	211.2	178.5	139.3
			张掖地区	236.8	85.0	51.7	270.0	234.4	208.4	175.2
		酒泉	东部酒泉鼎新	56.9	4.4	2.7	74.5	52.9	39.8	26.2
			中部酒泉清金	164.2	2.1	1.3	200.4	159.4	131.4	98.6
			西部酒泉走廊	73.5	7.3	4.5	92.6	69.8	55.1	39.7
			酒泉地区	73.0	13.8	8.5	92.0	70.1	55.5	40.2
		嘉峪关	西部嘉峪关	136.7	2.0	1.2	173.6	129.9	102.5	72.5
			嘉峪关	136.7	2.0	1.2	173.6	129.9	102.5	72.5
		甘肃省		179.0	100.8	61.4	207.6	177.2	153.9	128.9
	内蒙古	阿拉善	东部额济纳	47.3	29.4	17.9	63.4	43.5	31.2	19.9
			阿拉善盟	47.3	29.4	17.9	63.4	43.5	31.2	19.9
		内蒙古自治区		47.3	29.4	17.9	63.4	43.5	31.2	19.9
	黑河流域			128.0	164.2	100.0	147.2	126.7	111.4	93.4

1.3　降水量的年内分配

对流域分区和行政分区及代表站采用典型年法,作了各种频率降水量的年内分配,典型年直接采用年降水量相近的年份。

黑河流域降水量年内分配很不均匀,具有明显的雨季和旱季之别,多年平均雨季为5~9月,5个月降水量占年降水量的 84.0%;最大降水月份出现在 7 月,占年降水量的24.1%;10~4月为旱季,7 个月降水量占年降水量的 16.0%;12~2月几乎无雨,3 个月降水量只占年降水量的 3.0%;12月降水量最少,只有 1.3mm,占年降水量的 0.8%。

各分区多年平均连续最大四个月降水量出现月份均为 6~9月,占年降水量的百分数分别是:黑河流域 74.0%,青海黑河区 77.2%,甘肃黑河区 72.2%,内蒙古黑河区

76.7%;黑河西部水系 76.3%,黑河中部水系 67.0%,黑河东部水系 74.2%。

年内 4～6 月为黑河流域各项用水的需水高峰期,其间降水量占年降水量的百分数分别是:黑河流域为 31.6%,青海黑河区为 33.3%,甘肃黑河区为 32.5%,内蒙古黑河区 26.1%;黑河西部水系 32.5%,黑河中部水系 33.0%,黑河东部水系为 31.2%。

每年冬季的 11～2 月降水量占年降水量的百分数分别是:黑河流域为 4.4%,青海黑河区为 2.7%,甘肃黑河区为 5.2%,内蒙古黑河区 3.7%;黑河西部水系 4.8%,黑河中部水系 7.9%,黑河东部水系为 3.9%。黑河流域分区多年平均降水量的年内分配,详见表 2-3。

表 2-3　　　　　　黑河流域各分区多年平均降水量分配百分率　　　　　　（%）

| 月份
分区名称 | 1 | 2 | 3 | 4 | 5 | 最大四个月 | | | | | 10 | 11 | 12 | 全年 |
						6	7	8	9	合计				
黑河流域	0.9	1.3	3.2	4.9	10.0	16.7	24.1	22.3	10.9	74.0	3.5	1.4	0.8	100
东部山区	0.7	1.0	3.0	4.8	10.8	18.0	23.5	20.5	12.4	74.4	3.8	1.1	0.4	100
东部平原	1.2	1.4	3.8	5.1	10.1	15.8	21.7	21.4	12.4	71.3	4.1	1.9	1.1	100
东部高原	0.9	0.9	3.0	4.3	8.3	13.5	26.4	27.5	9.3	76.7	4.0	1.3	0.6	100
黑河东部	0.8	1.1	3.0	4.8	10.1	16.3	23.7	22.5	11.7	74.2	4.0	1.3	0.7	100
中部山区	1.7	2.5	5.3	7.4	9.7	16.1	21.7	19.4	9.4	66.6	2.9	2.3	1.6	100
中部平原	1.6	2.1	5.1	6.9	10.0	15.9	21.9	19.9	10.0	67.7	2.9	2.2	1.5	100
黑河中部	1.7	2.4	5.2	7.1	9.9	16.0	21.8	19.6	9.6	67.0	2.9	2.2	1.6	100
西部山区	0.9	1.2	2.4	4.0	9.8	20.0	28.3	21.6	8.1	78.0	2.1	1.0	0.6	100
西部平原	1.7	2.0	4.3	5.0	8.6	15.0	22.9	24.0	10.4	72.3	2.2	1.8	1.2	100
黑河西部	1.2	1.4	3.0	4.2	9.8	18.5	26.7	22.4	8.7	76.3	2.1	1.2	0.8	100
青海省	0.6	0.8	2.1	4.1	10.4	18.8	25.2	21.3	11.9	77.2	3.5	0.9	0.4	100
海北州	0.6	0.8	2.1	4.1	10.4	18.8	25.2	21.3	11.9	77.2	3.5	0.9	0.4	100
甘肃省	1.2	1.5	3.6	5.3	10.3	16.9	23.1	21.1	11.1	72.2	3.4	1.6	0.9	100
张掖地区	1.1	1.4	3.5	5.2	10.5	17.3	23.1	20.6	11.2	72.2	3.6	1.6	0.9	100
酒泉地区	1.5	1.8	4.4	5.3	8.7	14.0	24.0	24.1	10.8	72.9	2.5	1.8	1.1	100
嘉峪关市	1.7	2.3	4.7	5.7	10.3	18.9	22.4	19.3	9.4	70.0	1.9	1.9	1.2	100
内蒙古自治区	0.9	0.9	3.0	4.3	8.3	13.5	26.4	27.5	9.3	76.7	4.0	1.3	0.6	100
阿拉善盟	0.9	0.9	3.0	4.3	8.3	13.5	26.4	27.5	9.3	76.7	4.0	1.3	0.6	100

注:流域分区、行政分区标注于左侧竖排栏。

选取 12 个代表站作多年平均降水量的年内分配,其特点与分区降水量的分配特点基本一致,连续最大四个月降水量,除朱龙关、肃南为 5～8 月外,其余各站均为 6～9 月。黑河流域代表站多年平均降水量月分配情况,详见表 2-4。

表 2-4

站 名	月 份												全年
	1	2	3	4	5	6	7	8	9	10	11	12	
扎马什克	0.3	0.5	1.9	4.1	11.6	18.1	24.0	20.9	14.0	3.7	0.6	0.2	100
朱龙关	0.5	0.4	0.6	1.9	9.6	21.2	33.7	23.6	6.0	1.3	0.3	0.2	100
肃 南	0.8	1.0	2.4	5.1	11.3	19.6	23.6	20.0	10.8	3.5	1.2	0.6	100
双树寺	0.8	1.4	3.7	6.2	11.9	16.5	20.6	18.8	12.7	4.7	1.8	0.8	100
酒 泉	1.9	2.3	4.9	4.9	10.1	14.9	22.1	21.3	11.3	2.3	1.9	1.4	100
张 掖	1.3	1.1	2.9	3.9	9.9	17.3	20.9	22.9	12.9	4.0	1.7	1.3	100
梧桐沟	1.1	1.2	2.4	4.2	8.0	11.4	23.7	34.9	9.7	1.7	1.1	1.1	100
金 塔	2.3	2.0	4.4	4.3	9.9	13.5	22.2	24.7	11.5	1.8	2.1	1.3	100
鼎 新	1.5	1.5	4.6	5.0	7.2	13.4	26.3	23.5	12.1	2.9	1.7	0.6	100
正义峡	1.2	1.0	5.0	5.3	10.6	15.4	22.1	21.3	11.9	3.7	1.9	0.9	100
山 丹	1.2	1.4	2.8	3.9	9.7	15.7	21.9	22.4	13.7	4.6	1.7	1.0	100
保都格	0.6	0.6	2.6	2.6	9.0	16.2	26.6	24.6	10.1	5.2	1.4	0.3	100

代表站年降水量月分配仍然与多年平均降水量月分配特点一致,夏秋季雨水多,冬春季干旱。但有些年份降水月分配比例略有调整,春季雨水略增多,夏秋季雨水略减少,有时 3 月也出现较大的降水过程,但机遇较少。

1.4 降水量的年际变化

据中国科学院兰州冰川冻土研究所《祁连山区历史时期气候变化探讨》文章介绍:在黑河上游采集 8 个树木样本,用树木年轮推测过去的气候变化,得到近 500 年以来经历了五次寒冷期和四次温暖期,冷期平均持续时间为 55 年,暖期平均持续时间为 75 年。持续最长的寒冷期是 1772~1891 年,历时 120 年,最冷出现在 1825 年左右;持续最长的温暖期是 1654~1771 年,历时 118 年,最暖出现在 1745 年左右。经推测,从 1979 年起的 50年内,气候变化是有偏暖后再度转入寒冷的趋势。黑河流域冷暖周期变化情况,见表 2-5。

文章又称,近 400 年以来,经历了不同程度的五次干燥期和五次湿润期。平均干燥持续时间 35 年,持续最长干燥时期是 1845~1928 年,历时 84 年;平均湿润持续时间 41 年,持续最长湿润期是 1660~1756 年,历时 97 年。黑河流域干、湿时段变化情况,见表 2-6。

实测资料期内,酒泉气象站设站最早,始于 1935 年,至 1997 年共有 63 年资料系列,其次是冰沟和莺落峡水文站,分别建于 1948 年和 1950 年,有资料系列 50 年和 48 年。从三站的年降水量差积累积曲线和五年滑动平均线(见图 2-2)看出,20 世纪后 50 年内,干湿周期交替出现,30 年代至 50 年代末期为湿润期,降水量偏多,持续约 30 年,50 年代末期至 80 年代初期,为干燥期,降水量偏少,持续 23 年,80 年代初期又转入湿润期。

表 2-5   黑河流域冷暖周期变化情况

寒 冷 期		温 暖 期	
年　份	持续时间(年)	年　份	持续时间(年)
1404～1435	32	1436～1506	71
1507～1545	39	1546～1613	68
1614～1653	40	1654～1771	118
1772～1891	120	1892～1934	43
1935～1978	44		
平　均	55	平　均	75

表 2-6   黑河流域干、湿时段变化情况

干燥时段		湿润时段	
年　份	持续时间(年)	年　份	持续时间(年)
1599～1606	8	1607～1616	10
1617～1625	9	1626～1641	16
1642～1659	18	1660～1756	97
1757～1814	58	1815～1844	30
1845～1928	84	1929～1979	51
平　均	35	平　均	41

　　按年代均值与多年均值比较(见表 2-7),变化趋势仍为平、丰、枯周期性交替出现,并未呈上升或下降趋势,大体为 50 年代平,60 年代枯,70 年代丰,80 年代平,90 年代平偏枯。

表 2-7   代表站降水量年代均值与多年均值比较

站　名	50 年代	60 年代	70 年代	80 年代	90 年代
	1950～1959	1960～1969	1970～1979	1980～1989	1990～1997
酒　泉	-4.2	-7.0	6.2	2.6	-1.2
莺落峡	3.3	-10.8	5.4	-1.8	2.8
冰　沟	2.6	-5.2	9.4	-1.1	-7.8

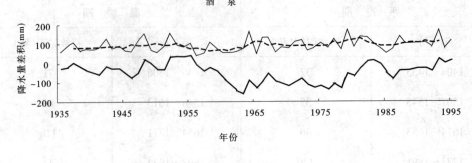

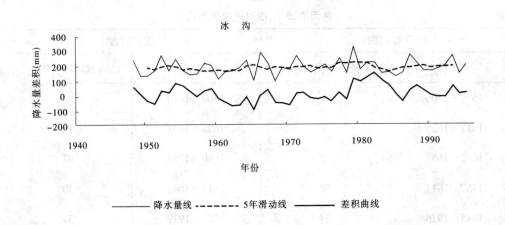

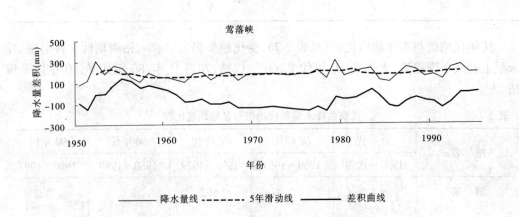

图 2-2 黑河流域代表站年降水量特征曲线

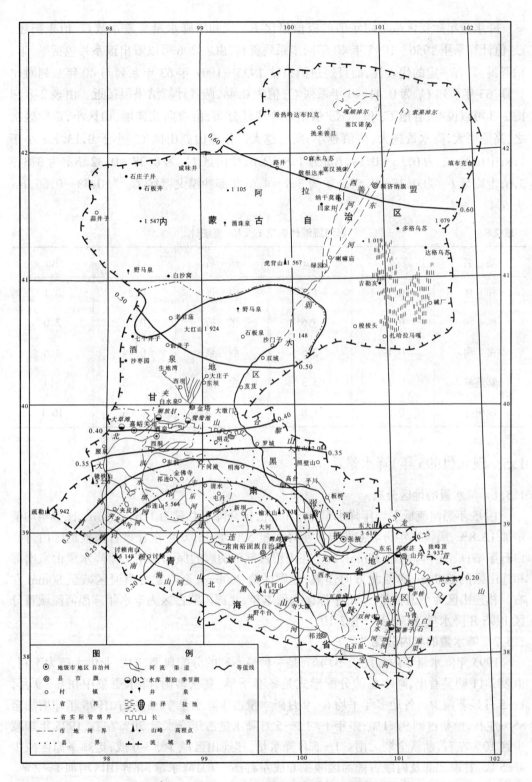

图 2-3　黑河流域多年平均降水量 C_v 等值线图

降水量年际变化通常用年值的极值倍比 Ka 值和年降水量变差系数 C_v 值来描述。C_v 值计算采用 1956～1995 年 40 年同步系列资料,由表 2-6 可以看出该系列包括平、丰、枯资料,具有一定的代表性,而且通过酒泉站 1935～1997 年 63 年系列与 40 年系列对比计算,63 年系列 C_v 为 0.41,40 年系列 C_v 值为 0.44,两者计算结果很接近。由表 2-8 和图 2-3 可以说明,各地 C_v 值和 Ka 值呈现规律性分布,由南向北递增,山区小,走廊区次之,高原区大,降水量越大,两值越小,反之越大。祁连山高山区 C_v 小于 0.13,Ka 小于 1.8;中山区 C_v 为 0.13～0.19,Ka 为 1.8～2.6;低山区 C_v 为 0.28～0.32,Ka 为 3.3～3.6;走廊区 C_v 为 0.25～0.44,Ka 为 3.1～4.6;北部沙漠戈壁区 C_v 为 0.43～0.66,Ka 为 6.4～16.1。

表 2-8　　　　　　　　　　　　黑河流域代表站 C_v、Ka 值统计

站　名	C_v	Ka	站　名	C_v	Ka
祁　连	0.13	1.8	山　丹	0.25	3.1
冰　沟	0.32	3.6	张　掖	0.29	3.0
肃　南	0.19	2.6	酒　泉	0.44	4.6
莺落峡	0.28	3.3	金　塔	0.43	6.4
双树寺	0.17	1.8	保都格	0.66	16.1

1.5　现状(1995 年)降水量

1.5.1　降水量的地区分布

1995 年黑河流域平均年降水量 145.6mm,折合降水总量为 186.8 亿 m^3,比多年均值增加 13.8%,属偏丰年份。实测最大年降水量 520.4mm,发生在甘肃省张掖地区山丹县白石崖站;最小年降水量 38mm,发生在内蒙古额济纳旗的保都格站。年降水量由东南部祁连山区的 500mm 向西北方向递减,走廊区约 200mm,至内蒙古黑河减至 80mm 左右。祁连山区为平偏枯年,走廊平原区为偏丰年,北部内蒙古区为丰水年。黑河流域各分区 1995 年降水量,见表 2-9、表 2-10。

1.5.2　降水量的年内分配

1995 年降水量年内分配极不均匀,是一种最不利的分配典型,对农业供水极为不利。由表 2-11 明显看出,降水总的分配形式是冬春干旱,夏秋多雨,降水更集中在 6～9 月,1～5 月显著偏少。各地多年平均 6～9 月降水量占年降水量 75% 左右,1995 年却增加至 85% 左右,鼎新占到 97.1%;多年平均 1～5 月降水量占年降水量 20% 左右,1995 年却减少到 10% 左右,鼎新全期无雨。1～5 月降水量,祁连山区减少 5～6 成,走廊平原区减少 4～5 成,甘肃北部及内蒙古黑河区减少 6 成左右;6～9 月降水量,祁连山区增加 1～2 成,走廊平原区增加 1 成左右,内蒙古黑河区持平。

表 2-9 1995 年黑河流域流域分区年降水量

流域	水系	地貌	分区名称	年降水量（mm）	年降水总量（亿 m³）	与多年均值比较(±%)	频率（%）	丰枯等级
黑河	东部	山区	东部海北山区	375.0	26.8	1.9		
			东部张掖山区	324.6	31.6	1.2		
			东部山区	345.9	58.3	1.5	41.4	平
		平原	东部张掖走廊	199.4	31.1	3.2		
			东部酒泉鼎新	72.0	5.6	26.5		
			东部平原	157.1	36.7	6.15	31.7	偏丰
		高原	东部额济纳	78.8	49.0	66.6	9.7	丰
			东部高原	78.8	49.0	66.6	9.7	丰
			黑河东部	140.6	144.0	18.4	14.6	偏丰
	中部	山区	中部张掖山区	438.5	7.0	13.3	24.3	偏丰
			中部山区	438.5	7.0	13.3	24.3	偏丰
		平原	中部明花盐池	129.1	2.6	13.8		
			中部酒泉清金	187.1	2.4	13.9		
			中部平原	152.1	5.0	13.8	26.8	偏丰
			黑河中部	245.5	12.0	13.6	24.3	偏丰
	西部	山区	西部海北山区	263.7	7.0	−10.3		
			西部张掖山区	180.7	12.5	−17.0		
			西部山区	203.8	19.5	−14.7	65.8	偏枯
		平原	西部酒泉走廊	89.4	8.9	21.6		
			西部嘉峪关	148.9	2.2	8.9		
			西部平原	97.2	11.1	19.0	26.8	偏丰
			黑河西部	146.0	30.6	−4.9	51.2	平
			黑河流域	145.6	186.8	13.8	24.3	偏丰

表 2-10　　　　　　　　　　　1995 年黑河流域行政分区年降水量

流域	省区	地级	分区名称	年降水量 （mm）	年降水总量 （亿 m³）	与多年均值 比较(±%)	频率 （%）	丰枯 等级
黑河	青海	海北	东部海北山区	375.0	26.8	1.9		
			西部海北山区	263.7	7.0	−10.3		
			海北州	344.8	33.7	−0.9	50.0	平
			青海省	344.8	33.7	−0.9	50.0	平
	甘肃	张掖	东部张掖山区	324.6	31.6	1.2		
			东部张掖走廊	199.4	31.1	3.2		
			中部张掖山区	438.5	7.0	13.3	24.3	偏丰
			中部明花盐池	129.1	2.6	13.8		
			西部张掖山区	180.7	12.5	−17.0		
			张掖地区	236.5	84.8	−0.1	46.3	平
		酒泉	东部酒泉鼎新	72.0	5.6	26.5		
			中部酒泉清金	187.1	2.4	13.9		
			西部酒泉走廊	89.4	8.9	21.6		
			酒泉地区	89.1	16.9	22.1	29.2	偏丰
		嘉峪关	西部嘉峪关	148.9	2.2	8.9	36.5	偏丰
			嘉峪关市	148.9	2.2	8.9	36.5	偏丰
			甘肃省	184.6	103.9	3.1	41.4	平
	内蒙古	阿拉善	东部额济纳	78.8	49.0	66.6	9.7	丰
			阿拉善盟	78.8	49.0	66.6	9.7	丰
			内蒙古自治区	78.8	49.0	66.6	9.7	丰'
			黑河流域	145.6	186.8	13.8	24.3	偏丰

表 2-11 　　　　　　　1995 年黑河流域代表站降水量月分配百分率　　　　　　（%）

站　名	年　份	月　份					
		1	2	3	4	5	1～5月合计
扎马什克	1995	1.1	0.3	0.7	4.0	3.4	9.5
	多年平均	0.3	0.5	1.9	4.1	11.6	18.4
肃　南	1995	0.3	0.6	3.6	3.8	0.3	8.6
	多年平均	0.8	1.0	2.4	5.2	11.3	20.7
酒　泉	1995	0.3	4.7	1.2	0.5	6.4	13.1
	多年平均	1.9	2.3	4.9	4.9	10.2	24.2
鼎　新	1995						
	多年平均	1.5	1.5	4.6	5.0	7.2	19.8
保都格	1995			3.7		2.4	6.1
	多年平均	0.6	0.6	2.6	9.0	9.0	15.4

站　名	年　份	月　份							
		6	7	8	9	6～9月合计	10	11	12
扎马什克	1995	15.2	25.0	19.8	24.0	84.0	6.3	0.1	0.1
	多年平均	18.1	24.0	21.0	14.0	77.1	3.7	0.6	0.2
肃　南	1995	9.8	41.4	13.0	20.9	85.1	4.7	0.6	1.0
	多年平均	19.6	23.6	20.0	10.8	74.0	3.5	1.2	0.6
酒　泉	1995	1.6	12.3	28.2	37.9	80.0	4.7	1.6	0.6
	多年平均	15.0	22.3	21.5	11.4	70.2	2.3	1.9	1.4
鼎　新	1995	1.7	21.3	28.1	46.0	97.1	2.9		
	多年平均	13.4	26.2	23.4	12.0	75.0	2.9	1.7	0.6
保都格	1995	3.4	10.9	34.8	26.8	75.9	18.0		
	多年平均	16.3	26.6	24.6	10.2	77.7	5.2	1.4	0.3

二、蒸　发

2.1　基本简况

2.1.1　实测资料

　　全流域选用水面蒸发站 28 站,其中水文站 14 站,气象站 14 站,共有实测资料 796 站年,插补资料 324 站年,有 1956～1995 年同步期资料站 14 站,多数站插补延长资料不多,只有祁连山山岭和下游额济纳旗地区因计算多年平均蒸发量需要,插补资料较多。

2.1.2 插补延长方法

采用邻近相似站资料,建立月、年蒸发量关系曲线,直接插补月蒸发量,相关关系都很密切,相关点据一般误差在±5%以内,完全达到插补的精度要求。

2.1.3 水面蒸发量折算系数

黑河流域蒸发器的型号有 20cm、80cm、E_{601} 三种。1967 年以前采用 80cm 口径蒸发器较多,以后逐渐使用 20cm 蒸发器和 E_{601};20 世纪 80 年代以后,多数水文站冬季采用 20cm 蒸发器,4～10 月采用 E_{601},气象站历年采用 20cm 蒸发器。

采用折算系数法,将各种口径蒸发器观测资料换算为统一的 E_{601} 型蒸发量。口径 80cm 蒸发器折算系数,内陆河 9 个站有对比观测资料,E_{601}、80cm 折算系数变化在 0.81～1.19 之间,且无明显的地区规律。对这一部分资料的换算,有对比观测的站采用本站折算系数,舍去特大特小值,无对比观测的站采用邻近站或气候条件接近站的折算系数换算,过去已在水文统计中经过研究换算过来。口径 20cm 蒸发器折算系数,大多数水文蒸发站有对比观测资料,折算系数在 0.53～0.69 之间,多数为 0.63 左右,其使用方法为有对比观测资料的站采用本站系数,无对比观测的站和气象站资料采用平均折算系数 0.63。80 年代以后,多数站使用 E_{601} 型,在资料整编过程中都换算为 E_{601} 型蒸发量。黑河流域不同型号水面蒸发器水面蒸发折算系数对比见表 2-12。

表 2-12　　　　　　　　　　　　　　　水面蒸发折算系数

站　名	E_{80}/E_{20}	E_{601}/E_{80}	E_{601}/E_{20}	站　名	E_{80}/E_{20}	E_{601}/E_{80}	E_{601}/E_{20}
莺落峡	0.54	0.96	0.63	肃　南			0.60
扎马什克			0.63	丰乐河			0.63
祁　连			0.69	正义峡	0.50	0.71	0.66
李家桥	0.63		0.63	冰　沟	0.52	0.83	0.63
双树寺	0.51		0.64	嘉峪关			0.67
瓦房城	0.58		0.64	新　地			0.65
高　崖			0.68	鸳鸯池	0.59	0.86	0.64
干沟门			0.58	平　均			0.64

2.2 分区月、年水面蒸发量

本次分别按流域分区和行政分区计算了 1956～1995 年同步期月、年水面蒸发量系列。黑河全流域共选用 28 个站的基本资料,采用泰森多边形法计算。

通过频率计算分别求得 20%、50%、75%、95% 四种不同保证率的水面蒸发值,选取代表站和典型年进行了年内分配。黑河流域分区水面蒸发计算成果,见表 2-13、表 2-14。

表 2-13 **黑河流域流域分区多年平均年水面蒸发量**

流域	水系	地貌	分区名称	年蒸发量（mm）	不同频率水面蒸发量(mm)			
					20%	50%	75%	95%
黑河	东部	山区	东部海北山区	701.5	743.6	701.5	666.4	624.3
			东部张掖山区	988.6	1 028.1	988.6	958.9	909.5
			东部山区	867.1	901.8	867.1	841.1	797.7
		平原	东部张掖走廊	1 324.6	1 390.7	1 324.5	1 271.5	1 192.1
			东部酒泉鼎新	1 573.2	1 636.1	1 573.2	1 526.0	1 447.3
			东部平原	1 407.1	1 463.4	1 407.1	1 364.9	1 294.5
		高原	东部额济纳	2 248.8	2 361.2	2 248.8	2 158.8	2 023.9
			东部高原	2 248.8	2 361.2	2 248.8	2 158.8	2 023.9
			黑河东部	1 828.9	1 902.1	1 828.9	1 774.0	1 682.6
	中部	山区	中部张掖山区	980.3	1 058.8	980.4	921.6	843.1
			中部山区	980.3	1 058.8	980.4	921.6	843.1
		平原	中部明花盐池	1 665.7	1 782.3	1 665.7	1 565.8	1 449.2
			中部酒泉清金	1 587.6	1 762.2	1 571.7	1 428.8	1 254.2
			中部平原	1 634.8	1 749.2	1 634.8	1 536.7	1 422.3
			黑河中部	1 421.4	1 520.9	1 421.4	1 336.1	1 236.6
	西部	山区	西部海北山区	930.0	1 050.9	920.7	827.7	706.8
			西部张掖山区	1 050.5	1 155.6	1 040.0	966.5	850.9
			西部山区	1 017.1	1 129.0	1 006.9	925.6	813.7
		平原	西部酒泉走廊	1 704.8	1 773.0	1 704.8	1 653.7	1 568.4
			西部嘉峪关	1 277.5	1 392.5	1 277.5	1 175.3	1 060.3
			西部平原	1 649.2	1 715.3	1 649.3	1 599.8	1 517.4
			黑河西部	1 360.4	1 442.0	1 360.4	1 292.4	1 210.8
			黑河流域	1 736.6	1 806.1	1 736.6	1 684.5	1 597.7

表 2-14　　　　　黑河流域行政分区多年平均年水面蒸发量

流域	省区	地级	分区名称	年蒸发量 (mm)	不同频率水面蒸发量(mm)			
					20%	50%	75%	95%
黑河	青海	海北	东部海北山区	701.5	743.6	701.5	666.4	624.3
			西部海北山区	930.0	1 050.9	920.7	827.7	706.8
			海北州	763.4	816.8	763.4	717.6	664.2
			青海省	763.4	816.8	763.4	717.6	664.2
	甘肃	张掖	东部张掖山区	988.6	1 028.1	988.6	958.9	909.5
			东部张掖走廊	1 324.6	1 390.7	1 324.5	1 271.5	1 192.1
			中部张掖山区	980.3	1 058.8	980.4	921.6	843.1
			中部明花盐池	1 665.7	1 782.3	1 665.7	1 565.8	1 449.2
			西部张掖山区	1 050.5	1 155.6	1 040.0	966.5	850.9
			张掖地区	1 184.2	1 231.6	1 184.2	1 148.7	1 089.5
		酒泉	东部酒泉鼎新	1 573.2	1 636.1	1 573.2	1 526.0	1 447.3
			中部酒泉清金	1 587.6	1 762.2	1 571.6	1 428.8	1 254.2
			西部酒泉走廊	1 704.8	1 773.0	1 704.8	1 653.7	1 568.4
			酒泉市	1 642.9	1 708.6	1 642.9	1 593.6	1 511.5
		嘉峪关	西部嘉峪关	1 277.5	1 392.5	1 277.5	1 175.3	1 060.3
			嘉峪关	1 277.5	1 392.5	1 277.5	1 175.3	1 060.3
			甘肃省	1 341.2	1 394.8	1 341.2	1 301.0	1 233.9
	内蒙古	阿拉善	东部额济纳	2 248.8	2 361.2	2 248.8	2 158.8	2 023.9
			阿拉善盟	2 248.8	2 361.2	2 248.8	2 158.8	2 023.9
			内蒙古自治区	2 248.8	2 361.2	2 248.8	2 158.8	2 023.9
			黑河流域	1 736.6	1 806.1	1 736.6	1 684.5	1 597.7

2.3　水面蒸发的地区分布

水面蒸发的地区分布与降水量相反,由南部祁连山区向北部增加,由高山向低山增加,并且梯度变化较大。祁连山峰多年平均蒸发量约为 700mm,出山口一带增至1 200mm,河西走廊中部为1 200～1 600mm,北山以北的金塔县为2 000mm左右,内蒙古额济纳地区则高达2 300mm以上。黑河流域多年平均水面蒸发的地区分布详见图 2-4。

2.4　水面蒸发的年内分配

水面蒸发的年内变化受季节影响,冬季(11～2 月)寒冷,气温低,蒸发小,4 个月蒸发量仅占年蒸发量的8.4%;春季和秋季(3～5 月,9～10 月)气候温和,蒸发中等,5 个月蒸发量占年蒸发量的46.8%;夏季(6～8 月)气温最高,蒸发量大,3 个月蒸发量占年蒸发量的44.8%。黑河流域各分区水面蒸发量年内分配,见表 2-15。

2.5　水面蒸发的年际变化

水面蒸发量的大小受气温、降水的影响,历年同期,如果降水少,气温则偏高,湿度减小,蒸发量则大。因此,在 40 年系列中,往往出现极大值和极小值,正常年份变化较小,年

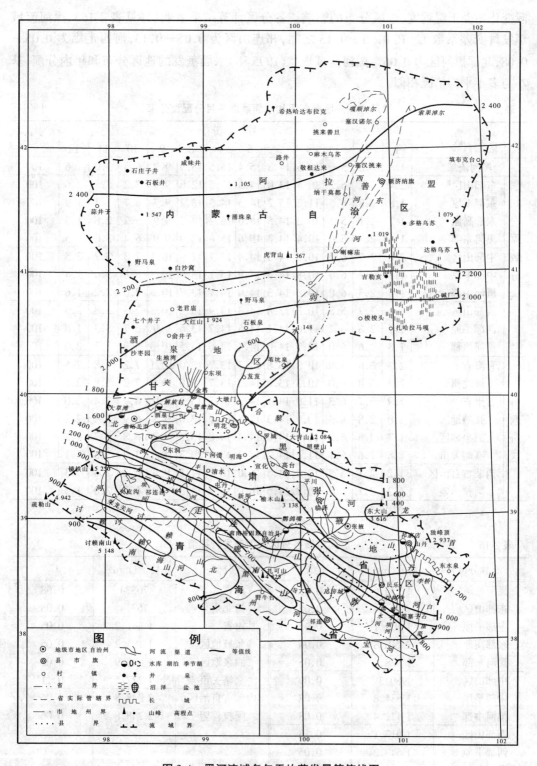

图 2-4 黑河流域多年平均蒸发量等值线图

际变化还受干湿程度、地区分布的影响。各分区计算结果表明(详见表 2 16),黑河流域蒸发量变差系数 C_v 在 $0.05\sim0.13$ 之间,祁连山区为 $0.05\sim0.13$,河西走廊为 $0.05\sim0.08$,北部黑河区为 0.06。黑河流域现状(1995 年)水面蒸发的地区分布和年内分配,基本与多年平均情况相似。

表 2-15　　　　　　　　　黑河流域分区多年平均水面蒸发量月分配百分率　　　　　　　　　(％)

分　区		月　份												全年
		1	2	3	4	5	6	7	8	9	10	11	12	
	黑河流域	1.5	2.3	5.6	10.5	14.3	15.4	15.5	13.9	9.9	6.5	3.0	1.6	100
流域分区	东部山区	2.4	3.2	6.2	10.4	13.0	14.3	13.5	12.6	9.9	7.2	3.8	2.6	100
	东部平原	1.8	2.8	6.5	11.3	14.2	14.3	14.3	13.2	9.7	6.7	3.3	1.9	100
	东部高原	1.2	2.1	5.3	10.2	14.5	16.0	16.2	14.3	9.9	6.2	2.8	1.3	100
	黑河东部	1.4	2.3	5.6	10.4	14.4	15.6	15.6	13.9	9.9	6.4	3.0	1.5	100
	中部山区	2.0	2.7	6.0	10.6	14.3	14.4	13.7	12.9	10.1	7.3	3.7	2.3	100
	中部平原	1.3	2.2	6.0	10.8	14.3	14.9	15.1	13.9	10.3	6.8	3.0	1.4	100
	黑河中部	1.5	2.3	6.0	10.8	14.3	14.6	14.7	13.7	10.3	7.0	3.2	1.6	100
	西部山区	2.1	2.7	5.8	10.2	13.8	14.3	13.9	13.3	10.3	7.3	3.8	2.5	100
	西部平原	1.7	2.6	6.1	11.0	14.1	14.5	13.6	13.5	9.9	6.7	3.3	1.8	100
	黑河西部	1.8	2.6	6.0	10.7	14.0	14.4	14.6	13.5	10.0	6.9	3.5	2.0	100
行政分区	青海省	2.3	3.0	6.0	10.3	13.8	14.3	13.7	13.0	10.1	7.2	3.8	2.5	100
	海北州	2.3	3.0	6.0	10.3	13.8	14.3	13.7	13.0	10.1	7.2	3.8	2.5	100
	甘肃省	1.9	2.7	6.3	11.0	14.1	14.3	14.3	13.2	9.9	6.9	3.4	2.0	100
	张掖地区	2.0	2.8	6.3	10.9	14.3	14.5	14.0	13.0	9.8	6.9	3.4	2.1	100
	酒泉地区	1.7	2.6	6.2	11.0	14.0	14.4	14.8	13.5	9.9	6.8	3.3	1.8	100
	嘉峪关市	1.8	2.6	6.1	11.1	14.2	14.3	14.3	13.7	10.1	7.0	3.5	2.1	100
	内蒙古自治区	1.2	2.1	5.3	10.2	14.5	16.0	16.2	14.3	9.9	6.2	2.8	1.3	100
	阿拉善盟	1.2	2.1	5.3	10.2	14.5	16.0	16.2	14.3	9.9	6.2	2.8	1.3	100

表 2-16　　　　　　　　　　黑河流域各分区水面蒸发特征值

流域分区	均值(mm)	C_v	行政分区	均值(mm)	C_v
黑河流域	1 736.6	0.05	青海省	763.4	0.08
东部山区	867.1	0.05	海北州	763.4	0.08
东部平原	1 407.1	0.05	甘肃省	1 341.2	0.05
东部高原	2 248.8	0.06	张掖地区	1 184.2	0.05
黑河东部	1 828.9	0.05	酒泉地区	1 642.9	0.05
中部山区	980.3	0.09	嘉峪关市	1 277.5	0.11
中部平原	1 634.8	0.08	内蒙古自治区	2 248.8	0.06
黑河中部	1 421.4	0.08	阿拉善盟	2 248.8	0.06
西部山区	1 017.1	0.13			
西部平原	1 649.2	0.05			
黑河西部	1 360.4	0.07			

三、陆面蒸发

3.1 分区陆面蒸发量

陆面蒸发量指流域实际蒸发量的总和,为流域水分的总损失量。当降水量供水充分的条件下,陆面蒸发量趋近于水面蒸发能力;当气候干燥,径流深很小时,陆面蒸发量趋近于降水量。

按下式推求:

$$E_{陆} = P - R \qquad (2-1)$$

式中:P——多年平均年降水量(mm);

R——多年平均年径流深(mm);

$E_{陆}$——多年平均年陆面蒸发量(mm)。

3.2 陆面蒸发的地区分布

陆面蒸发受降水和径流的影响,其地区分布特点是降水和径流分布的综合产物,总的分布形势仍是由南向北减少,祁连山区降水多径流也多,陆面蒸发由山岭的200mm左右,向山脚减少至100mm,出山口后,径流量很少,甚至不产流,降水量绝大部分耗于蒸发,陆面蒸发几乎等于降水量,由200mm向北递减,走廊平原区100~150mm,至额济纳旗约40mm。黑河流域分区陆面蒸发量,详见表2-17。

四、干旱指数

4.1 干旱指数的计算方法

干旱指数是以平均年水面蒸发量与平均年降水量的比值求得,即

$$\alpha = E_0 / P \qquad (2-2)$$

式中:E_0——多年平均年水面蒸发量(mm);

P——多年平均年降水量(mm);

α——干旱指数。

干旱指数是反映气候干湿程度的一个参数,当干旱指数 $\alpha < 1$ 时,说明气候湿润;α 介于5~10时,为干旱气候;当 $\alpha > 10$ 时,为干燥气候。黑河流域各分区干旱指数,见表2-17。

4.2 干旱指数的地区分布

由于干旱指数是蒸发量与降水量的比值,而蒸发量由南向北增加,降水量由南向北减少,所以干旱指数由东向西增加,由南向北剧增。祁连山区为2.5~4.3,河西走廊为9.5~20.2,内蒙古额济纳地区为47.5。

表 2-17   黑河流域各分区多年平均陆面蒸发量及干旱指数(α)

分区名称		E_0(mm)	$E_陆$(mm)	α
黑河流域		1 736.6	98.9	13.57
流域分区	东部山区	867.1	192.1	2.54
	东部平原	1 407.1	145.2	9.51
	东部高原	2 248.8	47.3	47.54
	黑河东部	1 828.9	93.6	15.41
	中部山区	980.3	214.3	2.63
	中部平原	1 634.8	133.6	12.24
	黑河中部	1 421.4	159.8	6.58
	西部山区	1 017.1	146.9	4.26
	西部平原	1 649.2	81.7	20.19
	黑河西部	1 360.4	111.5	8.86
行政分区	青海省	763.4	192.4	2.19
	海北州	763.4	192.4	2.19
	甘肃省	1 341.2	139.8	7.49
	张掖地区	1 184.2	175.3	5.00
	酒泉地区	1 642.9	73.0	22.51
	嘉峪关市	1 277.5	136.7	9.35
	内蒙古自治区	2 248.8	47.3	47.54
	阿拉善盟	2 248.8	47.3	47.54

干旱指数是用来划分干旱带的传统方法,具有概念明确,简单方便,符合实际的优点。根据各站多年平均干旱指数,按照干旱分区指标和等级划分标准划分干旱带,从表 2-18 可以看出,祁连山区的东、中部为半湿润区,西部为半干旱区;河西走廊东部为干旱区,中、西部为极端干旱区;黑河北部阿拉善高原干旱指数高达 56.6,为极端干旱区。黑河流域多年平均干旱指数地区分布情况,见表 2-18、图 2-5。

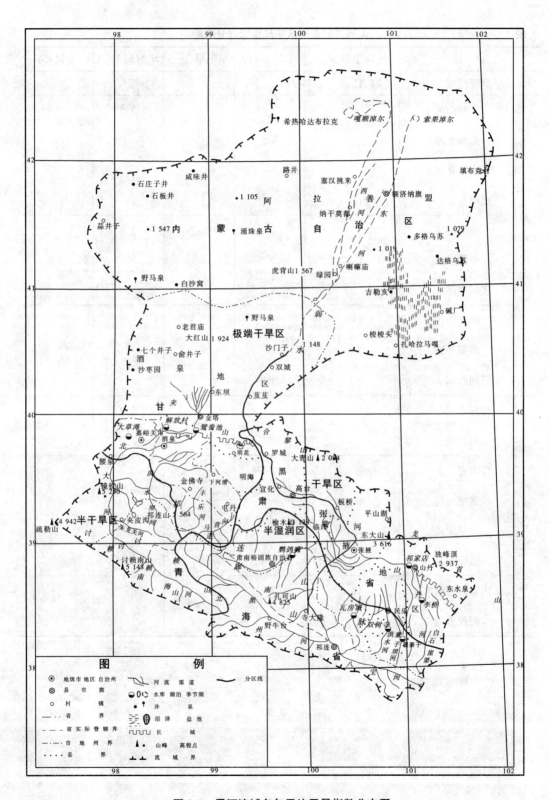

图 2-5　黑河流域多年平均干旱指数分布图

表 2-18　　　　　　　黑河流域各分区干旱指标划分结果

分 区		极端干旱>10	干旱 5~10	半干旱 3~5	半湿润 1~3	湿润<1
	黑河流域	13.6				
流域分区	东部山区				2.5	
	东部平原		9.5			
	东部高原	47.5				
	黑河东部	15.4				
	中部山区				2.6	
	中部平原	12.2				
	黑河中部		6.6			
	西部山区			4.3		
	西部平原	20.2				
	黑河西部		8.9			
行政分区	青海省				2.2	
	海北州				2.2	
	甘肃省		7.5			
	张掖地区		5.0			
	酒泉地区	22.5				
	嘉峪关市		9.4			
	内蒙古自治区	47.5				
	阿拉善盟	47.5				

第三章　地表水资源

一、单站径流资料统计

1.1　基本简况

　　黑河流域共有国家基本水文站 21 站,建站时间参差不齐,其中有 7 站先后撤销。最早的水文站为莺落峡和正义峡,始建于 1943 年,观测至今。其中莺落峡站有 53 年系列。具有同步期(1956～1995 年)资料系列 4 站,20 年系列 9 站,20 年以下系列 8 站(详见表3-1,图1-1)。除高崖站外,其余各站均进行了基本资料统计和整理,所采用的资料都经过整编和审查。除国家基本站网以外,地方水文观测普遍开展,在水库、渠首广泛开展了水文测验,对水文站网起到了重要的补充作用,基本控制了小河小沟的径流情势。据统计,有 29 处观测点,积累了丰富的径流测验资料,也是本次水资源评价的重要基础资料。

表 3-1　　　　　　　　　　　　　　基本水文观测情况

河　　名	站　　名	集水面积(km²)	观测期(年)	系列年数
讨赖河	朱龙关	4 802	1960～1970	11
讨赖河	冰　沟	6 883	1948～1997	50
讨赖河	嘉峪关	7 095	1965～1982	18
讨赖河	鸳鸯池水库	12 439	1959～1997	39
洪水河	新　地	1 581	1957～1997	41
丰乐河	丰　乐	568	1965～1969、1981～1997	22
马营河	红湾峡	619	1959～1961、1966～1967	5
大渚马河	瓦房城	217	1959～1997	39
梨园河	干沟门	839	1961～1983	23
梨园河	肃　南	1 080	1984～1997	14
梨园河	梨园堡	2 240	1949～1997	49
黑　河	扎马什克	4 598	1957～1997	41
黑　河	祁　连	2 452	1971～1997	27
黑　河	黄藏寺	7 643	1954～1967	14
黑　河	莺落峡	10 009	1945～1997	53
黑　河	高　崖		1977～1997	21
黑　河	正义峡	35 634	1947～1997	51
黑　河	保都格		1960～1970	11
黑　河	菜菜格敖包		1961～1968	8
洪水河	双树寺	578	1957～1997	41
马营河	李家桥	1 143	1957～1967、1976～1997	33

1.2 径流量还原

径流还原包括水库出库径流还原为入库径流和测站以上分流水量及用水消耗量的还原。径流产生于祁连山区,山口以上测站资料是计算水资源量的依据,而山口以下是径流的消耗区,山口以下测站资料只作为消耗情况的分析计算,因此只对山口以上测站进行径流还原计算。祁连山出山口以上地区,人烟稀少,耕地不多,基本上没有工业,总的来说,用水量很少,还原量也少,祁连山区共计还原量只有 0.774 亿 m³,主要分布在黑河的莺落峡断面、洪水河的新地断面、梨园河梨园堡断面、洪水河双树寺断面和马营河李家桥断面,其多年平均还原量见表 3-2。关于水库站入库径流的推算,采用出库径流加年蓄水变量求得入库年径流量,再采用相似站年径流月分配率或流域平均降水量月分配率进行分配。

表 3-2 　　　　　　　　　黑河流域各站多年平均还原水量统计　　　　　　　　（单位:亿 m³）

河 名	站 名	实测径流量	还原水量	天然径流量
黑 河	莺落峡	16.0	0.100	16.10
洪水河	新 地	2.51	0.039	2.55
梨园河	梨园堡	2.12	0.376	2.50
洪水河	双树寺	1.17	0.087	1.26
马营河	李家桥	0.568	0.172	0.74

1.3 资料的插补延长

资料插补延长的目的是推求产流区(即山口以上祁连山区)主要河流控制站、小河沟控制点及浅山区坡面汇流的全部径流同步系列。主要河流控制站采用相似站月、年径流相关或降雨径流关系进行插补延长,一般相关系数在 0.85 以上才予以采用,小河沟和坡面径流的延长和计算,有的采用邻近河流月、年径流相关,多数采用分区分年建立径流模数与流域面积关系曲线推算。经过插补求得产流区全部流域面积 35 站(点、区间)的同步径流系列,为分析计算地表水资源量打下了基础(见表 3-3)。

1.4 系列代表性分析

本次地表水资源评价采用 1956～1995 年 40 年同步系列,流域内莺落峡为最长观测系列的水文站,具有 1945～1997 年 53 年系列。两个系列频率计算结果相比较,长系列年径流均值为 16.0 亿 m³,短系列年径流均值为 16.06 亿 m³,相对误差只有 0.4%;长系列 C_v 值为 0.18,短系列 C_v 值亦为 0.18,相对误差为 0。说明 40 年同步系列具有一定的代表性。另外,由莺落峡站长系列年径流模比系数差积曲线(见图 3-1)可知,该站年径流有比较明显的 1951～1980 年 30 年长周期和 2 个丰水期、2 个枯水期,亦说明同步期系列具有代表性。

表 3-3　　　　　　黑河流域各河流同步径流系列站(点、区间)统计

河　名	站 (点、区间)	河　名	站 (点、区间)	河　名	站 (点、区间)	河　名	站 (点、区间)
黑　河	札马什克	梨园河	干沟门	摆浪河	新　坝		张掖区间
八宝河	祁　连	梨园河	梨园堡	大野口	大野口		山丹区间
黑　河	黄藏寺	大渚马河	瓦房城	童子坝河	童子坝		临泽区间
黑　河	莺落峡	梨园河	肃　南	寺　沟	寺　沟		高台区间
黑　河	正义峡	讨赖河	鸳鸯池	讨赖河	嘉峪关		民乐区间
丰乐河	丰　乐	讨赖河	朱龙关	大磁窑	大磁窑		嘉峪关区间
马营河	李家桥	讨赖河	冰　沟	酥油口	酥油口		酒泉区间
洪水河	双树寺	红山河	红　山	小渚马河	小渚马		
洪水河	新　地	观山河	观　山	海潮坝	小渚马		

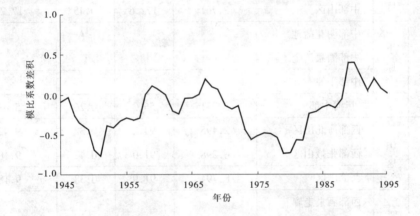

图 3-1　黑河莺落峡站年径流模比系数差积曲线

二、分区地表水资源

2.1　分区地表水资源

黑河流域多年平均地表水资源量为 37.277 亿 m^3,均为祁连山区产水量,走廊及高原区径流深均小于 5mm,属于不产流区,本次评价不予计算。评价区地表水资源量中,东部水系祁连山区 25.722 亿 m^3(含东部走廊区内山区产水量),占全流域地表水资源量的 69.0%;中部水系祁连山区 2.761 亿 m^3,占 7.4%;西部水系祁连山区 8.794 亿 m^3,占 23.6%。按行政区划分,青海省 15.239 亿 m^3,占 40.9%;甘肃省 22.038 亿 m^3,占 59.1%。黑河流域分区地表水资源,见表 3-4、表 3-5。

表 3-4 黑河流域流域分区多年平均地表水资源

流域	水系	地貌	分区名称	地表水资源（亿 m³）	径流深（mm）	径流系数	地表水资源模数（万 m³/km²）
黑河	东部	山区	东部海北山区	12.743	178.5	0.48	17.85
			东部张掖山区	12.325	126.8	0.40	12.68
			东部山区	25.069	148.7	0.44	14.89
		平原	东部张掖走廊	0.653	4.2	0.02	0.42
			东部酒泉鼎新				
			东部平原	0.653	2.8	0.02	0.28
		高原	东部额济纳				
			东部高原				
			黑河东部	25.722	25.1	0.21	2.51
	中部	山区	中部张掖山区	2.761	172.6	0.45	17.25
			中部山区	2.761	172.6	0.45	17.25
		平原	中部明花盐池				
			中部酒泉清金				
			中部平原				
			黑河中部	2.761	56.3	0.26	5.63
	西部	山区	西部海北山区	2.495	94.2	0.32	9.42
			西部张掖山区	6.298	91.0	0.42	9.10
			西部山区	8.794	91.9	0.38	9.18
		平原	西部酒泉走廊				
			西部嘉峪关				
			西部平原				
			黑河西部	8.794	42.0	0.27	4.19
			黑河流域	37.277	29.1	0.23	2.88

2.2 分区地表水资源特点

全流域各分区年径流量除了计算 40 年同步期的多年平均值外，还进行了频率分析计算，给出了 $p=20\%$、$p=50\%$、$p=75\%$、$p=95\%$ 等四种频率的年径流量。

由于年径流时空分布不均，各地年径流量不是同频率出现的，故不能根据各站点成果用同频率相加法推求分区不同频率的年径流量，而是采用各站点 1956～1995 年同步期月、年径流系列逐月逐年相加求得分区同步期月、年径流系列，再进行分区径流频率计算，推求不同频率的年径流量，同时绘制多年平均径流深等值线图(详见图 3-2)。

表 3-5　　　　　　　　　　黑河流域行政分区多年平均地表水资源

流域	省区	地级	分区名称	地表水资源（亿 m³）	径流深（mm）	径流系数	地表水资源模数（万 m³/km²）
黑河	青海	海北	东部海北山区	12.743	178.5	0.48	17.85
			西部海北山区	2.495	94.2	0.32	9.42
			海北州	15.239	155.7	0.45	15.57
		青海省		15.239	155.7	0.45	15.57
	甘肃	张掖	东部张掖山区	12.325	126.8	0.40	12.68
			东部张掖走廊	0.653	4.2	0.02	0.42
			中部张掖山区	2.761	172.6	0.45	17.25
			中部明花盐池				
			西部张掖山区	6.298	91.0	0.42	9.10
			张掖地区	22.038	61.5	0.26	6.15
		酒泉	东部酒泉鼎新				
			中部酒泉清金				
			西部酒泉走廊				
			酒泉地区				
		嘉峪关	西部嘉峪关				
			嘉峪关				
		甘肃省		22.038	39.2	0.22	3.91
	内蒙古	阿拉善	东部额济纳				
			阿拉善盟				
		内蒙古自治区					
		黑河流域		37.277	29.1	0.23	2.88

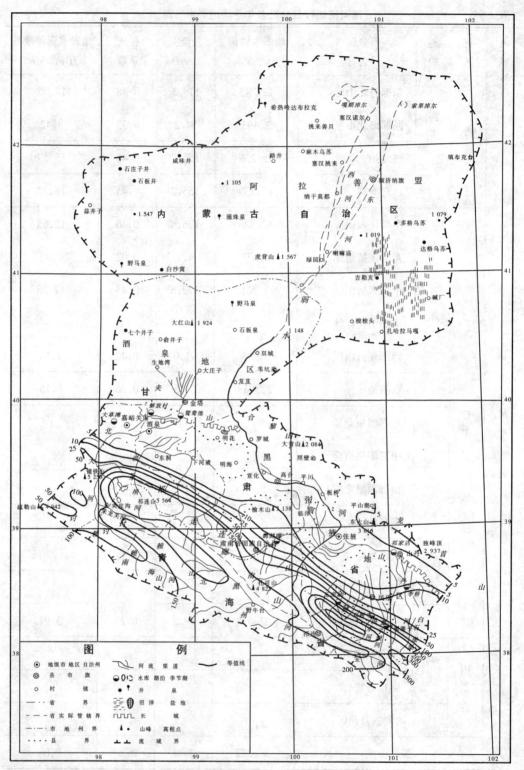

图 3-2　黑河流域多年平均径流深等值线图

根据分区计算成果汇总求得黑河流域 40 年同步期平均年径流量为 37.277 亿 m³,折合径流深 29.1mm,年径流系数 0.23,山区年径流系数为 0.45 左右。在 40 年系列中,年径流量最大的是 1958 年的 49.41 亿 m³,次大为 1989 年的 48.59 亿 m³;最小的是 1973 年的 29.30 亿 m³,次小的为 1991 年的 30.25 亿 m³。通过全流域 40 年同步期年径流系列保证率分析计算,求得径流变差系数 C_v 值为 0.15,20 年一遇枯水年年径流量为 28.7 亿 m³。黑河流域分区不同频率年径流量,见表 3-6、表 3-7。

表 3-6   黑河流域流域分区不同频率年径流量

流域	水系	地貌	分区名称	径流量（亿 m³）	不同频率年径流量(亿 m³)				占流域百分数（%）
					20%	50%	75%	95%	
黑河	东部	山区	东部海北山区	12.74	14.78	12.49	10.96	8.92	34.2
			东部张掖山区	12.33	13.68	12.20	11.09	9.74	33.1
			东部山区	25.07	28.40	24.90	22.30	19.10	67.3
		平原	东部张掖走廊	0.65	0.80	0.63	0.51	0.38	1.7
			东部酒泉鼎新						
			东部平原	0.65	0.80	0.63	0.51	0.38	1.7
		高原	东部额济纳						
			东部高原						
			黑河东部	25.72	29.00	25.40	22.90	19.50	69.0
	中部	山区	中部张掖山区	2.76	3.22	2.70	2.35	1.90	7.4
			中部山区	2.76	3.22	2.70	2.35	1.90	7.4
		平原	中部明花盐池						
			中部酒泉清金						
			中部平原						
			黑河中部	2.76	3.22	2.70	2.35	1.90	7.4
	西部	山区	西部海北山区	2.50	2.98	2.45	2.08	1.63	6.7
			西部张掖山区	6.30	7.06	6.24	5.61	4.85	16.9
			西部山区	8.79	10.00	8.70	7.74	6.50	23.6
		平原	西部酒泉走廊						
			西部嘉峪关						
			西部平原						
			黑河西部	8.79	10.00	8.70	7.74	6.50	23.6
			黑河流域	37.28	41.80	36.90	33.20	28.70	100

表 3-7

黑河流域行政分区不同频率年径流量

流域	省区	地级	分区名称	径流量(亿 m³)	不同频率年径流量(亿 m³)				占流域百分数(%)
					20%	50%	75%	95%	
黑河	青海	海北	东部海北山区	12.74	14.78	12.48	10.96	8.92	34.2
			西部海北山区	2.50	2.98	2.45	2.08	1.63	6.7
			海北州	15.24	17.68	15.09	13.11	10.97	40.9
		青海省		15.24	17.68	15.09	13.11	10.97	40.9
	甘肃	张掖	东部张掖山区	12.33	13.68	12.20	11.09	9.74	33.1
			东部张掖走廊	0.65	0.80	0.63	0.51	0.38	1.7
			中部张掖山区	2.76	3.22	2.70	2.35	1.90	7.4
			中部明花盐池						
			西部张掖山区	6.30	7.06	6.24	5.61	4.85	16.9
			张掖地区	22.04	24.46	21.82	20.06	17.63	59.1
		酒泉	东部酒泉鼎新						
			中部酒泉清金						
			西部酒泉走廊						
			酒泉地区						
		嘉峪关	西部嘉峪关						
			嘉峪关市						
		甘肃省		22.04	24.46	21.82	20.06	17.63	59.1
	内蒙古	阿拉善	东部额济纳						
			阿拉善盟						
		内蒙古自治区							
	黑河流域			37.28	41.80	36.90	33.20	28.70	100

三、主要河流年径流量

根据流域面积较大和具有地区代表性的原则,选择讨赖河、酒泉洪水河、大渚马河、梨园河、黑河、民乐洪水河、山丹马营河为主要河流,仍采用同步期系列进行年径流的分析计算,均计算至出山口。

黑河干流是黑河流域最大的河流,山口以上河长 303km,流域面积 10 009km²,多年平均年径流量 15.980 亿 m³,占黑河流域多年平均年径流量的 42.9%,多年平均年径流深 159.7mm。出山后进入张掖盆地,自产径流很少,大部分水量被引用,余水汇入内蒙古,再经利用后注入居延海。

讨赖河是黑河流域第二大河流,冰沟以上河长 224km,流域面积 6 883km²,多年平均年径流量 6.234 亿 m³,占黑河流域多年平均年径流量的 16.7%,多年平均年径流深 90.6mm。出山后进入酒泉盆地,自产径流很少,经讨赖灌区引用后,汇入鸳鸯池和解放村水库,再经金塔灌区引用,余水在鼎新注入黑河。

梨园河是黑河流域第三大河流,梨园堡以上河长 107km,流域面积 2 240km²,多年平均年径流量 2.502 亿 m³,占黑河流域多年平均年径流量的 6.7%,多年平均年径流深 111.7mm,出山后经临泽灌区引用后,在临泽县鸭暖乡汇入黑河。

山丹马营河产流区在白舌口以上的祁连山区,出山后经山丹军马场和霍城等灌区引用后,汇入李家桥水库,李家桥以上河长 79.4km,流域面积 1 143km²,还原后多年平均天然年径流量 0.740 亿 m³,平均年径流深 64.8mm,出库水量只剩 0.570 亿 m³,在山丹县基本被引用完。主要河流年径流量成果列于表 3-8。

表 3-8　　　　　　　　　　　主要河流年径流量特征

河 名	控制站	河长 (km)	流域 面积 (km²)	C_v	多年平均		不同频率年径流量(亿 m³)			
					径流量 (亿 m³)	径流深 (mm)	20%	50%	75%	95%
讨赖河	冰　沟	224.0	6 883	0.17	6.234	90.6	7.107	6.172	5.486	4.613
洪水河	新　地	27.9	1 581	0.26	2.549	161.2	3.084	2.473	2.065	1.606
大渚马河	瓦房城	22.5	217	0.17	0.859	395.8	0.978	0.849	0.755	0.635
梨园河	梨园堡	107.0	2 240	0.23	2.502	111.7	2.977	2.452	2.102	1.651
黑河干流	莺落峡	303.0	10 009	0.17	15.980	159.7	18.222	15.824	14.066	11.828
洪水河	双树寺	42.6	578	0.23	1.257	217.5	1.496	1.232	1.056	0.830
马营河	李家桥	79.4	1 143	0.05	0.740	64.8	0.769	0.739	0.717	0.680

四、大、中型水库入库径流

对入库径流资料的分析、整理,推算了各水库建库以来的月、年入库径流系列,进行了入库年径流的频率计算,求得多年平均和四种频率的入库年径流量。

黑河流域现有大、中、小型水库 98 座,其中甘肃省占 98%,内蒙古占 2%。甘肃省有大型水库 1 座,中型水库 7 座(不含大草滩专用水库),总库容 2.72 亿 m³,建库后,平均年入库径流总量 12.95 亿 m³,20 年一遇枯水年入库年径流总量为 8.27 亿 m³,各水库基本情况列于表 3-9。

河　名	水库名称	建库时间(年)	总库容(亿 m³)	平均年入库径流量(亿 m³)	不同频率入库年径流量(亿 m³)			
					20%	50%	75%	95%
讨赖河	鸳鸯池	1943	1.048	3.180	3.820	3.080	2.610	2.040
讨赖河	解放村	1971	0.391	3.190	3.830	3.090	2.620	2.040
大渚马河	瓦房城	1979	0.216	0.854	0.982	0.845	0.743	0.623
梨园河	鹦鸽嘴	1975	0.250	2.680	3.190	2.630	2.250	1.770
洪水河	双树寺	1975	0.269	1.310	1.600	1.270	1.050	0.786
童子坝河	翟寨子	1989	0.146	0.797	1.130	0.685	0.446	0.255
马营河	李家桥	1973	0.154	0.742	0.779	0.742	0.712	0.668
山丹河	祁家店	1957	0.241	0.197	0.262	0.181	0.132	0.085

五、出、入境水量

　　青海黑河区出境水量为黄芏寺水文站实测径流量与西部青海海北山区出境水量之和,多年平均出境水量为 15.239 亿 m³。甘肃黑河区入境水量为青海黑河区的出境水量,其量为 15.239 亿 m³;出境水量应为正义峡站径流量减去鼎新灌区耗水量,考虑正义峡至甘肃与内蒙古边界段河床渗漏的关系,一部分水量以地下水形式出境,故采用正义峡与狼心山站同期实测径流的比值(详见图 3-3)推算地表出境水量,多年平均为 6.139 亿 m³。内蒙古区入境水量即为甘肃黑河区的出境水量,多年平均值为 6.139 亿 m³。黑河流域各分区出入境水量,见表 3-10、表 3-11。

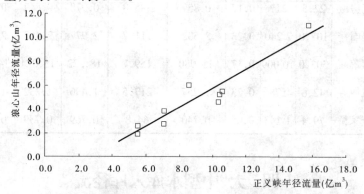

图 3-3　黑河正义峡、狼心山站年径流相关图

　　关于表 3-10、表 3-11 的几点说明:

　　(1)张掖地区入境水量未包括流域分区中"中部明花盐池"的入境水量,该水量是"中部张掖山区"的重复量。

　　(2)酒泉地区出境水量不包括"中部酒泉清金"的出境水量。

　　(3)"西部酒泉走廊"含"西部金塔鸳鸯池"。

表 3-10 　　　　　　　　　　黑河流域流域分区出入境水量　　　　　　　　（单位：亿 m³）

流域	水系	地貌	分区名称	入　境		出　境	
				多年平均	1995 年	多年平均	1995 年
黑河	东部	山区	东部海北山区			12.743	11.666
			东部张掖山区	12.743	11.666	24.395	22.269
			东部山区			24.395	22.269
		平原	东部张掖走廊	24.395	22.269	10.366	7.048
			东部酒泉鼎新	10.366	7.048	6.139	2.450
			东部平原	24.395	22.269	6.139	2.450
		高原	东部额济纳	6.139	2.450		
			东部高原	6.139	2.450		
			黑河东部				
	中部	山区	中部张掖山区			2.761	2.491
			中部山区			2.761	2.491
		平原	中部明花盐池	0.209	0.054		
			中部酒泉清金	2.761	2.491	0.209	0.054
			中部平原	2.761	2.491		
			黑河中部				
	西部	山区	西部海北山区			2.495	2.375
			西部张掖山区	2.495	2.375	8.754	8.199
			西部山区			8.754	8.199
		平原	西部酒泉走廊	7.856	7.021		
			西部嘉峪关	6.234	6.088	5.336	4.910
			西部平原	8.754	8.199		
			黑河西部				
			黑河流域				

表 3-11

流域	省区	地级	分区名称	入境		出境	
				多年平均	1995年	多年平均	1995年
黑河	青海	海北	东部海北山区			12.743	11.666
			西部海北山区			2.495	2.375
			海北州			15.239	14.041
			青海省			15.239	14.041
	甘肃	张掖	东部张掖山区	12.743	11.666	24.395	22.269
			东部张掖走廊	24.395	22.269	10.366	7.048
			中部张掖山区			2.761	2.491
			中部明花盐池	0.209	0.054		
			西部张掖山区	2.495	2.375	8.754	8.199
			张掖地区	15.239	14.041	21.881	17.738
		酒泉	东部酒泉鼎新	10.366	7.048	6.139	2.450
			中部酒泉清金	2.761	2.491	0.209	0.054
			西部酒泉走廊	7.856	7.021		
			酒泉市	20.983	16.560	6.139	2.450
		嘉峪关	西部嘉峪关	6.234	6.088	5.336	4.910
			嘉峪关	6.234	6.088	5.336	4.910
			甘肃省	15.239	14.041	6.139	2.450
	内蒙古	阿拉善	东部额济纳	6.139	2.450		
			阿拉善盟	6.139	2.450		
			内蒙古自治区	6.139	2.450		
			黑河流域				

六、径流特性

6.1 径流形成原因

黑河流域径流成因,广义地说,都由降水形成,但高山地带为固体降水,并转化成冰,形成冰川,然后由冰川融化补给河川径流,所以通常把祁连山区河川径流补给分为冰川融水补给和降水补给两种类型。据分析,黑河流域以降水补给为主,冰川补给为辅,降水补给量约占 90.2%,冰川融水补给量约为 3.65 亿 m³,占年径流量的 9.8%。西部讨赖河、洪水河冰川融水占的比重稍大。

黑河流域径流产生于祁连山区,山口附近年径流深为 5mm 左右,山口以下按不产流区对待。

6.2 径流地区分布

如前所述,黑河流域径流全部产生于祁连山区,产流区面积约32 442km²,占全流域面积的25.3%;祁连山区以外的甘肃走廊区和内蒙古黑河区是不产流区,不产流区面积约95 841km²,占全流域面积的74.7%。祁连山区径流深自山岭向山脚递减,自东向西递减。山岭径流中心位于黑河东部大渚马河上游,径流深约 500mm,逐渐向山口减至 5mm,黑河西部由祁连山岭的 200mm 逐渐向山口减至 5mm。

6.3 径流年内分配

对流域分区、行政分区和代表站不同频率年径流进行了月分配的计算,计算方法采用典型年月分配率分配,典型年按频率计算年径流量与典型年径流量相近,并考虑不利情况选择。全流域多年平均年径流的分配结果表明,径流的年内变化过程大体是从前一年的 10 月开始呈退水趋势,至翌年 2 月,为径流的最枯期,10～2 月径流量为 5.93 亿 m³,占年径流量的 15.9%,从 3 月开始,随着气温的升高,冰川融化和河川积雪融化,径流逐渐增加,至 5 月出现春汛,3～5 月径流量为 5.41 亿 m³,占年径流量的 14.5%,6～9 月是降水最为集中的季节,而且冰川融化水也多,是形成径流的高峰期,径流量为 25.95 亿 m³,占年径流量的 69.6%。黑河流域各分区河川径流月分配成果,见表 3-12、图 3-4。

表 3-12　　　　　　**黑河流域各产流区多年平均径流量月分配百分率**　　　　　（%）

分　区	月　份												全年
	1	2	3	4	5	6	7	8	9	10	11	12	
黑河流域	2.2	2.0	2.5	4.3	7.7	13.4	23.4	20.5	12.3	5.5	3.7	2.5	100
东部山区	1.8	1.7	2.2	4.4	8.4	14.1	22.8	20.1	13.2	5.8	3.3	2.2	100
中部山区	1.1	0.9	1.2	2.0	5.7	15.4	30.2	25.0	10.8	4.0	2.2	1.5	100
西部山区	3.7	3.4	3.8	4.4	5.8	10.9	23.5	20.6	9.9	5.7	4.4	3.9	100

6.4 径流年际变化

由于河川径流由降水和冰雪融化混合组成,两者起到互相补偿的作用。降水多,径流也多;降水少,气温高,冰雪融水则增多,因此年径流的年际变化相对比较稳定。黑河流域最大最小倍比只有 1.7,各分区年径流变差系数 C_v 值只有 0.16～0.21,属年际变化低值区(详见表 3-13)。

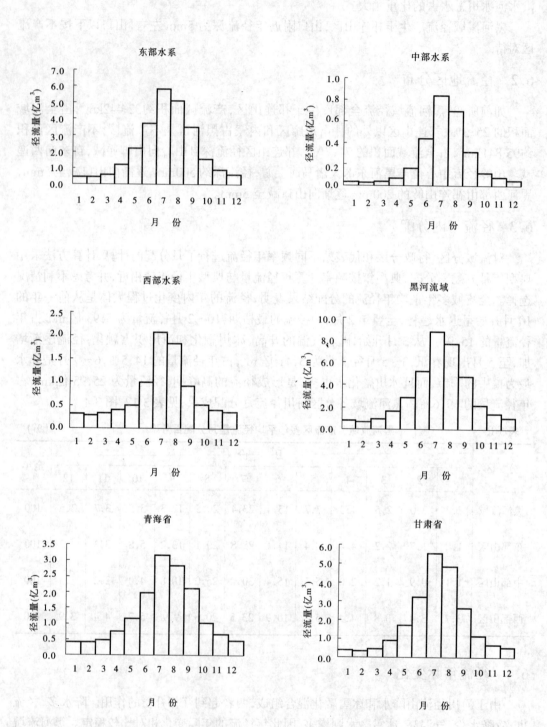

图 3-4　黑河流域分区多年平均径流量年内分配

表 3-13 黑河流域产流区及典型站年径流量变差系数 C_v 值

分　区	C_v	站　名	C_v
黑河流域	0.15	扎马什克	0.16
东部山区	0.16	莺落峡	0.17
中部山区	0.21	新　地	0.26
西部山区	0.17	冰　沟	0.17

6.5 水量转化及重复利用特点

黑河祁连山区的水资源具有转化和重复利用的特点,一般形式(如图 3-5 所示)为:祁

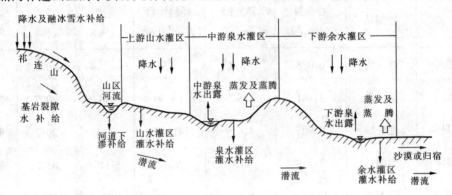

图 3-5 黑河流域水资源转化关系示意

连山区降水和融冰化雪水,部分渗入地下潜流,补给中、下游地下水;部分形成地表径流,沿山区河道下泄,至出山口引入上游灌区,其中部分耗于蒸发和作物蒸腾,部分经河道、渠道、田间下渗,补给中游地下水;中游的河道、渠系、田间下渗量又补给下游地下水,在下游灌区出露或引用,下游灌区的下渗水量和地下潜流量,最后潜入流域末端或沙漠。其水量转化平衡式为

$$R_1 + R_2 + R_3 + R_4 + R_5 = W_1 + W_2 + W_3 + W_4 + W_5 + W_6 \qquad (3-1)$$

式中:R_1——中游泉水量;　　　　W_2——渠系下渗量;

R_2——下游泉水量;　　　　W_3——山水灌区田间回归水;

R_3——中游蒸发蒸腾量;　　W_4——泉水灌区田间回归水;

R_4——下游蒸发蒸腾量;　　W_5——潜流量;

R_5——潜流量;　　　　　　W_6——降水凝结水补给量。

W_1——河道下渗量;

令　　　　　　　　$$C = R_3 + R_4 + R_5$$

$$W = W_1 + W_2 + W_3 + W_4 + W_5 + W_6$$

则　　　$R_1 + R_2 = W - C$　　　$R_1 = W - C - R_2$　　　$R_2 = W - C - R_1$

由此可见,黑河流域上、中、下游水量紧密相连,重复利用,提高了水的利用程度。因此,在进行黑河水资源开发利用时,必须依据这种特点,综合考虑上、中、下游的用水关系。

七、现状(1995年)地表水资源

7.1 1995年地表径流

1995年全流域地表径流量34.554亿 m³,折合径流深为26.9mm,径流系数0.18,径流模数2.69万 m³/km²,比多年平均年径流量减少2.733亿 m³。黑河流域1995年各分区及主要河流径流量特征值,分别列于表3-14、表3-15、表3-16。

表3-14　　　　　　　　　　　1995年主要河流径流量特征值

河流	控制站	径流量 (亿 m³)	径流深 (mm)	径流模数 (万 m³/km²)	距平 (%)	频率 (%)	丰枯 等级
讨赖河	冰　沟	6.088	88.4	8.84	−2.4	46.3	平
洪水河	新　地	2.181	138.0	13.80	−14.5	70.7	偏枯
大渚马河	瓦房城	0.905	416.9	41.69	5.3	29.2	偏丰
梨园河	梨园堡	2.208	98.6	9.86	−11.8	65.8	偏枯
黑河干流	莺落峡	14.925	149.1	14.91	−6.6	70.7	偏枯
洪水河	双树寺	1.169	202.3	20.23	−7.0	53.6	平
马营河	李家桥	0.729	63.8	6.38	−1.5	56.0	平

7.2 1995年径流丰枯情况

与多年平均相比,黑河流域1995年径流量偏少7.3%,频率为73.1%,属偏枯年。青海黑河区偏少7.9%,频率为63.4%,属于偏枯年;甘肃黑河区偏少6.9%,频率为65.8%,属于偏枯年;黑河西部水系偏少5.9%,频率为58.5%,属于平水年;黑河中部水系偏少9.8%,频率为68.2%,属于偏枯年;黑河东部水系偏少7.5%,频率为70.7%,属于偏枯年。黑河流域各分区及主要河流1995年径流丰枯情况,见表3-14、表3-15、表3-16。

7.3 1995年径流年内分配

1995年黑河流域不但年径流量偏枯,而且年内分配也不均匀,秋冬季径流增多,春夏季径流减少,更特殊的现象是6月径流量与多年均值的同期相比偏少33.3%,9月径流量与多年均值同期相比偏多60.8%,对农业生产用水很不利。黑河流域1995年分区径流月分配百分率,见表3-17。

表 3-15

1995 年黑河流域分区流域地表水资源质特征值

流域	水系	地貌	分区名称	径流量 (亿m³)	径流深 (mm)	径流系数	径流模数 (万m³/km²)	入境水量 (亿m³)	出境水量 (亿m³)	距平 (±%)	频率 (%)	丰枯等级
黑河	东部	山区	东部海北山区	11.666	163.4	0.44	16.34		11.666	−8.5		
			东部张掖山区	11.557	118.9	0.37	11.89	11.666	22.269	−6.2	70.7	偏枯
			东部山区	23.223	137.7	0.40	13.8		22.269	−7.4	70.7	偏枯
		平原	东部张掖走廊	0.563	3.6	0.01	0.36	22.269	7.048	−13.8		
			东部酒泉鼎新		2.4	0.02	0.24	7.048	2.450	−13.4	65.8	偏枯
			东部平原	0.563				22.269	2.450			
		高原	东部额济纳					2.450				
			东部高原					2.450				
			黑河东部	23.786	23.2	0.17	2.32		2.491	−7.5	70.7	偏枯
	中部	山区	中部张掖山区	2.491	155.7	0.36	15.57	2.491	2.491	−9.8	68.2	偏枯
			中部山区	2.491	155.7	0.36	15.57	2.491	2.491	−9.8	68.2	偏枯
		平原	中部明花盐池					0.054	0.054			
			中部酒泉清金					2.491	2.491			
			中部平原					2.491				
			黑河中部	2.491	50.8	0.21	5.08			−9.8	68.2	偏枯
	西部	山区	西部海北山区	2.375	89.6	0.34	8.96	2.375	2.375	−4.8		
			西部张掖山区	5.903	85.3	0.47	8.53		8.199	−6.3		偏样
			西部山区	8.278	86.5	0.42	8.65		8.199	−5.9	58.5	平
		平原	西部酒泉走廊					7.021				
			西部嘉峪关					6.088	4.910			
			西部平原					8.199				
			黑河西部	8.278	39.5	0.27	3.95			−5.9	58.5	平
			黑河流域	34.554	26.9	0.18	2.69			−7.3	73.1	偏枯

表3-16

1995年黑河流域行政分区地表水资源特征值

流域	水系	地貌	分区名称	径流量 (亿m³)	径流深 (mm)	径流系数	径流模数 (万m³/km²)	入境水量 (亿m³)	出境水量 (亿m³)	距平 (±%)	频率 (%)	丰枯等级
	青海	海北	东部海北山区	11.666	163.4	0.44	16.34		11.666	-8.5		
		海北	西部海北山区	2.375	89.6	0.34	8.96		2.375	-4.8		
			海北州	14.041	143.5	0.42	14.35		14.041	-7.9	63.4	偏枯
			青海省	14.041	143.5	0.42	14.35		14.041	-7.9	63.4	偏枯
		张掖	东部张掖山区	11.557	118.9	0.37	11.89	11.666	22.269	-6.2		
			东部张掖走廊	0.563	3.6	0.01	0.36	22.269	7.048	-13.8		
			中部张掖走廊	2.491	155.7	0.36	15.57		2.491	-9.8		
			中部明花盐池					0.054				
			西部张掖山区	5.903	85.3	0.47	8.53	2.375	8.199	-6.3		
黑河			张掖地区	20.513	57.2	0.24	5.72	14.041	17.738	-6.9	65.8	偏枯
	甘肃	酒泉	东部酒泉鼎新					7.048	2.450			
			中部酒泉清金					2.491	0.054			
			西部酒泉走廊					7.021				
			酒泉地区					16.560	2.450			
		嘉峪关	西部嘉峪关					6.088	4.910			
			嘉峪关市					6.088	4.910			
			甘肃省	20.513	36.4	0.20	3.64	14.041	2.450	-6.9	65.8	偏枯
	内蒙古	阿拉善	东部额济纳					2.450				
			阿拉善盟					2.450				
			内蒙古自治区					2.450				
			黑河流域	34.554	26.9	0.18	2.69			-7.3	73.1	偏枯

表 3-17　　　　　　1995 年黑河流域分区年径流月分配百分率　　　　　　（%）

分　区	月　份												全年
	1	2	3	4	5	6	7	8	9	10	11	12	
黑河流域	2.5	2.1	2.3	4.0	7.3	9.7	19.9	17.3	21.2	6.8	4.0	2.9	100
东部山区	1.6	2.1	2.1	4.1	7.9	10.2	18.6	17.3	22.9	6.9	3.8	2.5	100
中部山区	0.8	0.5	0.7	1.4	5.2	8.2	34.3	22.8	19.1	4.5	1.4	1.1	100
西部山区	4.2	3.3	3.5	4.3	5.6	8.4	19.4	16.7	17.7	7.1	5.1	4.7	100

八、地表水资源可利用量估算

地表水资源可利用量是指在经济合理、技术可能及基本满足河道内生态环境用水的前提下,通过蓄、引、提等地表水工程措施可能控制利用的一次性水量,不包括回归水的重复利用。1995 年现状工程供水能力达到 36.15 亿 m³,其中蓄水工程 10.47 亿 m³,引水工程 25.52 亿 m³,提水工程 0.16 亿 m³。1995 年全流域地表水实际用水量 30.39 亿 m³,其中祁连山区 0.23 亿 m³,走廊平原 28.91 亿 m³,阿拉善高原 1.25 亿 m³,地表水资源毛利用率为 87.9%,已接近临界状态。由于黑河中、下游沿河两岸地下水位较高,无效蒸发难以大量夺取,同时要保持一定数量的地下水补给量,而且要维持下游额济纳地区用水和生态环境用水的一定数量,正义峡年径流量要控制莺落峡丰水年情况不少于 8.5 亿 m³,使狼心山分水口处的收入水量不低于 4 亿 m³。因此,黑河流域地表水可利用量目前应控制在现状水平。全流域保证率 50% 可利用水量控制在 30.13 亿 m³,占多年平均地表水资源量的 81%,其中青海省 0.20 亿 m³,甘肃省 26.13 亿 m³,内蒙古自治区 4.00 亿 m³(详见表3-18)。黑河流域地表水资源的开发利用潜力,应着重加强水资源管理,合理调节流域水量,减少无效蒸发损失,推广先进的灌溉制度、灌溉技术和节水措施,降低用水定额,节约用水。

表 3-18　　　　　　　　黑河流域分区地表水资源可利用量

分　区		不同频率年可利用水量(亿 m³)			
		20%	50%	75%	95%
黑河流域		36.16	30.13	28.46	25.5
流域分区	黑河东部	25.00	20.30	19.00	16.57
	黑河中部	3.00	2.60	2.25	1.80
	黑河西部	8.20	7.26	7.00	6.00
行政分区	青海省	0.20	0.20	0.20	0.20
	甘肃省	31.36	26.13	25.26	23.00
	张掖地区	20.12	16.36	15.50	14.23
	酒泉地区	10.16	8.99	8.93	8.00
	嘉峪关市	1.05	1.05	1.05	1.05
	内蒙古自治区	4.80	4.00	3.20	2.50

九、人类活动对河川径流的影响

黑河流域产流的祁连山区人烟稀少,虽然近年人口有所增加,局部地段的毁林开荒对径流有一定的影响,但山内无大的引用水工程,少量的人类活动大都在浅山地带,故总的来讲,人类活动对河川径流的数量及时程分配影响甚微。山区内总用水量仅 0.77 亿 m³,比历史时期最多时增加 0.30 亿～0.40 亿 m³,约占总径流量的 1.0%。但山丹马营河流域,由于上游用水不断增加,李家桥水文站断面来水量逐年减少,而且改变了天然径流过程。

径流出山后,进入河西走廊,该地区是黑河流域经济开发程度最高的地区,相对人口稠密,农业发达,工业不断发展,用水不断增加,明显改变了河道下泄水量及其时程分配。黑河西部讨赖河出山后,经讨赖灌区引用,剩余全部水量被鸳鸯池和解放村水库调蓄,按照社会用水需求,重新分配了水量。黑河东部地区虽然没有大型调蓄工程,但引用水量显著改变了正义峡断面径流的大小及其时程分配。图 3-6 显示莺落峡与正义峡年径流相关曲线逐渐下移,当莺落峡为多年平均径流量 15.98 亿 m³ 时,相应的正义峡年径流量 1980 年以前为 11.20 亿 m³,1995 年为 8.54 亿 m³。

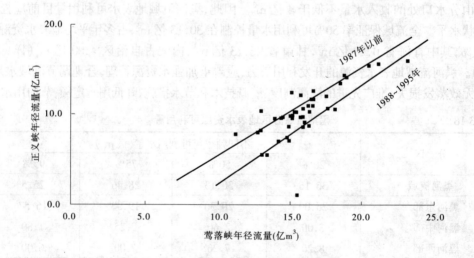

图 3-6　莺落峡与正义峡年径流相关曲线

图 3-7 莺落峡与正义峡月平均径流量对照柱状图表明径流的分配过程逐渐发生了变化,5～8 月灌溉用水高峰期,正义峡径流随着上游用水逐年增加而减少,有的月份甚至出现断流,但正义峡冬季径流量历年基本保持稳定。

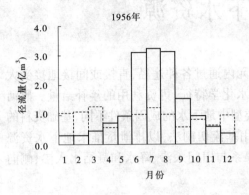

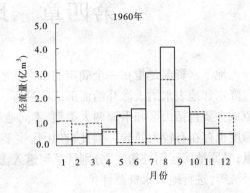

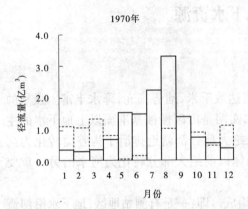

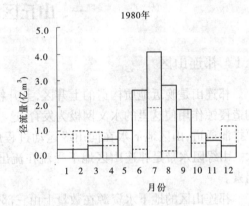

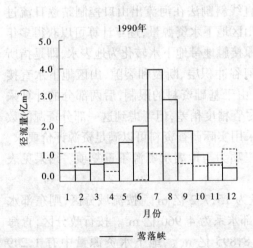

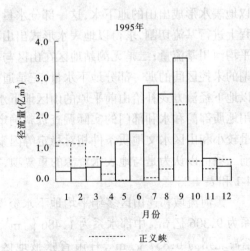

——— 莺落峡   - - - - 正义峡

图 3-7 黑河莺落峡与正义峡月径流量对照

第四章 地下水资源

地下水资源是指在一个确定的水文地质单元内通过各种途径,直接或间接地接受大气降水和地表水的入渗补给而形成的具有一定水化学特征、可资利用的年补给量。黑河流域主要包括山区和平原两大类型,不同地貌类型中地下水的成因条件不同,基础资料的精度也存在有较大差异。因此,在山区主要运用基流切割法,以排泄量推求地下水资源量;平原地区运用均衡法,分别计算河道入渗、渠系与田间入渗、降水和凝结水入渗、侧向径流等,进行地下水资源评价。

一、山丘区地下水资源

1.1 祁连山区

祁连山是晚近地质构造的上升区,上升幅度达数千米,地势高亢,降水丰富。强烈的构造侵蚀作用使这里的水文网极为发育,这些水文网是山区侵蚀基准面以上地下水的主要排泄通道,山区地下水在向山缘运动过程中,绝大部分都就近排泄于沟谷而转化为河水。山缘阻水带是祁连山区地下径流在流出山体以前绝大部分转化为河水的另一重要因素。

祁连山区的地下水资源在数量上由三部分组成。即:一是有测站地区,地下水沿河流以地表水形成出山的地下水,这一部分水量用直线斜割法在河流出山口控制站逐日流过程上进行基流切割,求得以地表水形式出山的山区地下水资源量,逐年计算可以获得多年平均河川基流量;二是无测站地区在山区与平原接触地带地下水转化为地表水,即是指所谓的未控区间的那一部分地下水量;三是通过河谷冲积层、断裂和裂隙,山区地下水直接以地下径流方式补给山前平原的山区地下水。由于基础资料的限制,后两部分的计算采用地质部门和水利部门的实际调查资料确定,尽管精度稍差,但考虑到这一部分资源的数量较小和山区水文地质条件相对稳定等因素,采用实际调查资料可以满足资源评价要求。前二项可以认为是与地表水资源的重复项,第三项为与地表水资源不重复项。结果见表4-1和表4-2。

黑河流域祁连山区多年平均地下水资源量为 15.752 亿 m^3。按流域分区,则东部水系为 9.306 亿 m^3,中部水系为 1.486 亿 m^3,西部水系为 4.960 亿 m^3。按行政分区,青海省海北州为 6.857 亿 m^3,甘肃省张掖地区为 8.895 亿 m^3。地下水资源量中有 1.249 亿 m^3 为与地表水不重复计算量。

1.2 走廊北部山区以及下游山区

走廊北部山区(主要指龙首山)、马鬃山区,以及额济纳旗东部、北部和西部山区,多年

表 4-1   黑河流域祁连山区流域分区多年平均地下水资源量

（单位：亿 m³ 矿化度＜2.0g /L）

流域	水系	地貌	分区名称	有测站河流地下水量	无测站河流地下水量	山前侧向流出量	合计
黑河	东部	山区	东部海北山区	4.942			4.942
			东部张掖山区	2.419	1.159	0.786	4.364
			东 部 山 区	7.361	1.159	0.786	9.306
	中部	山区	中部张掖山区	1.120	0.183	0.183	1.486
			中 部 山 区	1.112	0.183	0.183	1.486
	西部	山区	西部海北山区	1.915			1.915
			西部张掖山区	2.716	0.049	0.280	3.045
			西 部 山 区	4.631	0.049	0.280	4.960
			黑 河	13.112	1.391	1.249	15.752

表 4-2   黑河流域祁连山区行政分区多年平均地下水资源量

（单位：亿 m³ 矿化度＜2.0g /L）

流域	省区	地级	分区名称	有测站河流地下水量	无测站河流地下水量	山前侧向流出量	合计
黑河	青海	海北州	东部海北山区	4.942			4.942
			西部海北山区	1.915			1.915
			海 北 州	6.857			6.857
			青 海 省	6.857			6.857
	甘肃	张掖	东部张掖山区	2.419	1.159	0.786	4.364
			中部张掖山区	1.120	0.183	0.183	1.486
			西部张掖山区	2.716	0.049	0.280	3.045
			张 掖 地 区	6.255	1.391	1.249	8.895
			甘 肃 省	6.255	1.391	1.249	8.895
			黑 河	13.112	1.391	1.249	15.752

平均降水量均小于100mm,无常年流水的水系网。在降水集中的季节,由于暴雨可产生暂时性洪水,部分洪流入渗补给山区地下水,并通过地下径流方式补给平原区。从山区与平原区的相互关系上看,大体上可以这样划分:山丹新河盆地接受大黄山区的地下水径流补给;张掖市、临泽县和高台县接受走廊北山的地下径流补给;金塔鸳鸯池盆地接受马鬃山区的补给;额济纳盆地接受马鬃山区和北部山区的补给。根据甘肃省水利水电勘测设计院的计算和甘肃省地质局水文地质二队在80年代中期的计算,黑河流域北部山区地下水资源量0.625亿 m^3(表4-3),其中矿化度小于2.0g/L的淡水资源为0.152亿 m^3,2.0~5.0g/L的微咸水为0.428亿 m^3,大于5.0g/L的咸水为0.045亿 m^3。

表4-3　　　　　　　　　黑河流域北部山区及下游山区地下水资源　　　　　　(单位:亿 m^3)

计算单元	矿化度(g/L)			总补给量
	<2.0	2.0~5.0	>5.0	
山丹新河盆地	0.099			0.099
张　掖　市		0.188		0.188
临　泽　县		0.125		0.125
高　台　县		0.062		0.062
金塔鸳鸯	0.018	0.053	0.045	0.116
额济纳旗	0.035			0.035
合　　　计	0.152	0.428	0.045	0.625

1.3　山区分区地下水资源

将上述两项计算结果合并统计,得到黑河流域山区地下水资源量为16.377亿 m^3(表4-4和表4-5),按流域分区,东部水系为9.815亿 m^3,中部水系为1.486亿 m^3,西部水系为5.076亿 m^3,分别占总量的59.9%、9.1%和31.0%;按行政分区,青海省为6.857亿 m^3,甘肃省为9.485亿 m^3,内蒙古自治区为0.035亿 m^3,分别占总量的41.9%、57.9%和0.2%。山区地下水资源中与地表水不重复部分为1.874亿 m^3,按流域分区,东部水系为1.295亿 m^3,中部水系为0.183亿 m^3,西部水系为0.396亿 m^3,分别占总量的69.1%、9.8%和21.1%;按行政分区,甘肃省为1.839亿 m^3,内蒙古为0.035亿 m^3,分别占总量的98.1%和1.9%。在与地表水不重复的山区地下水资源1.874亿 m^3中,祁连山区占据了主要部分,为1.249亿 m^3,占总量的66.6%;走廊北部山区和下游山区为0.625亿 m^3,占总量的33.4%。

现状年(1995年)黑河流域山区地下水资源量为15.350亿 m^3(表4-6和表4-7)。按流域分区,东部水系为9.179亿 m^3,中部水系为1.376亿 m^3,西部水系为4.795亿 m^3,分别占总量的59.8%、9.0%和31.2%;按行政分区,青海省为6.347亿 m^3,甘肃省为8.968亿 m^3,内蒙古自治区为0.035亿 m^3,分别占总量的41.3%、58.4%和0.2%。与地表水不重复计算量为1.874亿 m^3。

表 4-4黑河流域山区流域分区多年平均地下水资源

流域	水系	地貌类型	分区名称	山区地下水资源量			与地表水不重复量
				总量	其中矿化度>2.0(g/L)		
					2.0~5.0	>5.0	
黑河	东部	山区	东部海北山区	4.942			
			东部张掖山区	4.364			0.786
			东部山区	9.306			0.786
		平原	东部张掖走廊	0.474	0.375		0.474
			东部酒泉鼎新				
			东部平原	0.474			0.474
		高原	东部额济纳	0.035			0.035
			东部高原	0.035			0.035
			黑河东部	9.815	0.375		1.295
	东部	山区	中部张掖山区	1.486			0.183
			中部山区	1.486			0.183
		平原	中部明花盐池				
			中部酒泉清金				
			中部平原				
			黑河中部	1.486			0.183
	西部	山区	西部海北山区	1.915			
			西部张掖山区	3.045			0.280
			西部山区	4.960			0.280
		平原	西部酒泉走廊	0.116	0.053	0.045	0.116
			西部嘉峪关				
			西部平原	0.116	0.053	0.045	0.116
			黑河西部	5.076	0.053	0.045	0.396
			黑河	16.377	0.428	0.045	1.874

表 4-5 黑河流域山区行政分区多年平均地下水资源 （单位:亿 m³）

流域	省(区)	地貌类型	分区名称	山区地下水资源量 总量	其中矿化度>2.0(g/L) 2.0~5.0	>5.0	与地表水不重复量
黑河	青海	海北	东部海北山区	4.942			
			西部海北山区	1.915			
			海 北 州	6.857			
			青 海 省	6.857			
	甘肃	张掖	东部张掖山区	4.364			0.786
			东部张掖走廊	0.474	0.375		0.474
			中部张掖山区	1.486			0.183
			中部明花盐池				
			西部张掖山区	3.045			0.280
			张 掖 地 区	9.369	0.375		1.723
		酒泉	东部酒泉鼎新				
			中部酒泉清金				
			西部酒泉走廊	0.116	0.053	0.045	0.116
			酒 泉 地 区	0.116	0.053	0.045	0.116
		嘉峪关	西部嘉峪关				
			嘉 峪 关 市				
			甘 肃 省	9.485	0.428	0.045	1.839
	内蒙古	阿拉善	东部额济纳	0.035			0.035
			阿 拉 善 盟	0.035			0.035
			内蒙古自治区	0.035			0.035
			黑 河	16.377	0.428	0.045	1.874

表 4-6　　　　　　　　　　1995 年黑河流域山区流域分区地下水资源　　　　（单位：亿 m³）

| 流域 | 水系 | 地貌类型 | 分区名称 | 山区地下水资源量 | | | 与地表水不重复量 |
| | | | | 总　量 | 其中矿化度>2.0(g/L) | | |
					2.0~5.0	>5.0	
黑河	东部	山区	东部海北山区	4.524			
			东部张掖山区	4.146			0.786
			东部山区	8.670			0.786
		平原	东部张掖走廊	0.474	0.375		0.474
			东部酒泉鼎新				
			东部平原	0.474			0.474
		高原	东部额济纳	0.035			0.035
			东部高原	0.035			0.035
			黑河东部	9.179	0.375		1.295
	中部	山区	中部张掖山区	1.376			0.183
			中部山区	1.376			0.183
		平原	中部明花盐池				
			中部酒泉清金				
			中部平原				
			黑河中部	1.376			0.183
	西部	山区	西部海北山区	1.823			
			西部张掖山区	2.856			0.280
			西部山区	4.679			0.280
		平原	西部酒泉走廊	0.116	0.053	0.045	0.116
			西部嘉峪关				
			西部平原	0.116	0.053	0.045	0.116
			黑河西部	4.795	0.053	0.045	0.396
			黑　　河	15.350	0.428	0.045	1.874

表 4-7

1995 年黑河流域山区行政分区地下水资源　　　（单位：亿 m³）

流域	省(区)	地貌类型	分区名称	山区地下水资源量			与地表水不重复量
				总量	其中矿化度＞2.0(g/L)		
					2.0~5.0	＞5.0	
黑河	青海	海北	东部海北山区	4.542			
			西部海北山区	1.823			
			海 北 州	6.857			
			青 海 省	6.347			
	甘肃	张掖	东部张掖山区	4.146			0.786
			东部张掖走廊	0.474	0.375		0.474
			中部张掖山区	1.376			0.183
			中部明花盐池				
			西部张掖山区	2.856			0.280
			张 掖 地 区	8.852	0.375		1.723
		酒泉	东部酒泉鼎新				
			中部酒泉清金				
			西部酒泉走廊	0.116	0.053	0.045	0.116
			酒 泉 地 区	0.116	0.053	0.045	0.116
		嘉峪关	西部嘉峪关				
			嘉 峪 关 市				
			甘 肃 省	8.968	0.428	0.045	1.839
	内蒙古	阿拉善	东部额济纳	0.035			0.035
			阿 拉 善 盟	0.035			0.035
			内蒙古自治区	0.035			0.035
			黑　　　河	15.350	0.428	0.045	1.874

二、平原区地下水资源

根据黑河流域的水文地质特点、地下水分布规律和补给、径流、排泄条件,拟采用均衡法计算平原区的地下水资源。

2.1 均衡方程的确定

黑河流域由一系列大小不等的水文地质盆地组成。其中山丹县可以划分为大马营盆地、新河盆地;黑河干流中游为张掖灌区(包括民乐、张掖、临泽和高台四县(市));西支流域包括酒泉盆地(含嘉峪关市和酒泉市)和金塔鸳鸯池盆地;黑河流域下游包括金塔鼎新盆地、内蒙古额济纳盆地。每个盆地可视为独立的水文地质单元,但由于所处地质地貌条件的差异以及水资源分布和利用的特点,地下水均衡各具不同的特征。

考虑到各盆地地下水的补给排泄条件,结合水利部有关水资源评价的规定,地下水的补给项包括:河道入渗、侧向径流补给(包括计算单元之间的侧向径流补给)、降水与凝结水入渗、渠系入渗、田间入渗、工业弃水。排泄项主要包括:潜水蒸发蒸腾、人工开采、泉水溢出、侧向径流排泄(含计算单元之间的侧向径流排泄)。地下水均衡方程可以表达为

$$(RI + GI + PC + CA + IR + GR + RE + IN + UN) - (SP + GO + PU + EV) = \pm \Delta W$$

$$(4-1)$$

式中:RI——河道入渗量;

$\quad\quad GI$——侧向补给量;

$\quad\quad PC$——降雨、凝结水入渗量;

$\quad\quad CA$——渠系入渗量;

$\quad\quad IR$——田间灌溉水入渗量;

$\quad\quad GR$——地下水回归量;

$\quad\quad RE$——水库入渗量;

$\quad\quad IN$——工业弃水入渗量;

$\quad\quad UN$——计算单元间的侧向径流量;

$\quad\quad SP$——泉水溢出量;

$\quad\quad GO$——流出均衡区的地下径流量;

$\quad\quad PU$——地下水人工开采量;

$\quad\quad EV$——蒸发蒸腾量;

$\quad\quad \Delta W = \mu \cdot \Delta H \cdot F$——均衡期始末地下水储量变化;

$\quad\quad \mu$——含水层给水度;

$\quad\quad \Delta H$——均衡期始末地下水位变化值;

$\quad\quad F$——计算区面积。

在方程式(4-1)中,河水入渗量、渠系和田间灌溉水入渗量、泉水溢出量、蒸发蒸腾量等是地下水均衡的主要项目,其他为次要项目。

近年来,地下水的开采规模不断扩大,人工开采已在各盆地的地下水排泄项中占有相

当比例,再加上修建水库、输水渠道衬砌和以降低农田灌溉定额为主的节水农业措施的实施,使地下水的补给状态发生了很大的变化。

2.2　计算单元的划分

黑河流域平原区(含下游高原),在行政上包括张掖地区的山丹县、民乐县、张掖市、临泽县、高台县和肃南县的明花区,酒泉地区的酒泉市、金塔县,嘉峪关市,内蒙古自治区阿拉善盟的额济纳旗。以前,在进行地下水资源计算时,一般是以完整的水文地质单元作为计算分区,山丹县由大马营盆地和新河盆地组成,民乐县、张掖市、临泽县、高台县和肃南县明花区合并称为张掖灌区,山丹的两个次级盆地与张掖灌区合称为张掖盆地。酒泉市和嘉峪关市合称为酒泉盆地,金塔县由鸳鸯池盆地和鼎新盆地组成,哨马营下游统称为额济纳盆地。

考虑到本次攻关专题的要求,我们对整个流域重新进行了计算单元的划分。分区方案一方面照顾到传统的分区,在传统分区不能满足要求的情况下,则按专题要求进一步划分。这样,中游地区就包括:山丹县大马营盆地、山丹县新河盆地、民乐县、张掖市、临泽县、高台县、盐池—明花区、清金区、酒泉市、嘉峪关市,下游包括金塔县鸳鸯池盆地、金塔县鼎新盆地和内蒙古额济纳盆地。共计13个计算单元(表4-8、图4-1)。

表 4-8　　　　　　　　　　黑河流域平原区地下水资源计算单元分区

行政分区	计算单元名称	面积(km²)
山丹县	大马营盆地 新河盆地	3 698.3
民乐县	民乐县	1 929.1
张掖市	张掖市	3 658.0
临泽县	临泽县	2 733.1
高台县	高台县	3 582.2
高台县-肃南县	盐池-明花区	1 995.3
酒泉市	清金区 酒泉市	1 306.5 2 102.0
嘉峪关市	嘉峪关市	1 475.8
金塔县	鸳鸯池盆地 鼎新盆地	7 807.3 7 764.7
额济纳旗	额济纳盆地	62 201.6
合　　计		100 253.9

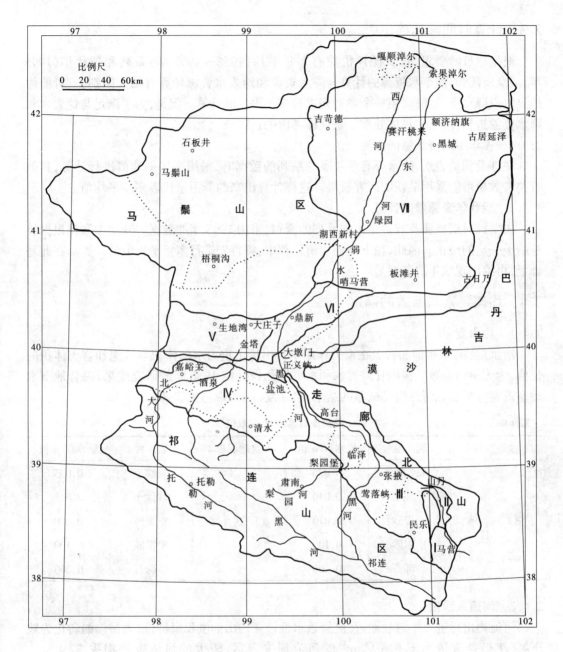

I 大马营盆地；II 新河盆地；III 张掖盆地；IV 酒泉盆地；
V 鸳鸯池盆地；VI 鼎新盆地；VII 额济纳盆地

图 4-1 黑河流域水文地质盆地分布

上述单元划分方案,虽然满足了专题的需求,但许多单元之间并没有严格意义上的地质剖面予以支持;另一方面,各单元的基础资料差异很大。这也就给资源量的计算带来了困难,尤其是单元之间地下水的补排关系,比较难于从数量上给予确定。因此,在计算过程中尽可能采用已有水文地质资料,在无水文地质资料的单元,主要依据水均衡的方法进行。

2.3 计算时间段的确定

根据项目的要求,水资源评价应有多年平均(1956~1995 年)系列和现状年(1995年)。众所周知,地下水资源的计算与降水资源和地表水资源计算有很大区别,不可能像地表水或降水资源那样,用一个系列来进行多年平均的计算。但是,为了满足与地表水和降水资源进行评价,在具体处理上是这样考虑的:

2.3.1 多年平均资源量的计算

在涉及到地表水、降水等有多年平均系列的数据时,采用多年平均值进行计算,其他有关参数尽可能采用最新的研究成果。这样计算出来的资源量代表多年平均值。

2.3.2 现状年资源量的计算

主要针对那些涉及有多年平均系列的资料,采用 1995 年的数据。其他参数将根据经验给予一定的修正。因此,在下面的均衡计算中,将首先进行多年平均值的计算。在此基础上,再给出现状年的资源量。

2.4 均衡要素与参数的确定

2.4.1 给水度 μ

给水度(μ)是指饱和岩土在重力作用下自由排出重力水的体积与该饱和岩土体积的比值,为无量纲参数。根据甘肃省水利水电勘测设计院 1986 年的研究成果,综合地下水动态资料分析法和野外简易试验的结果,给水度(μ)的取值见表 4-9。

表 4-9　　　　　　　　　　　**黑河流域给水度 μ 取值**

盆地名称	岩　性	给水度 μ 值	盆地名称	岩　性	给水度 μ 值
南　盆　地	黏性土	0.030	北　盆　地	黏性土	0.035
	砂性土	0.040		砂性土	0.045
	粉细砂	0.070		粉细砂	0.070
	中粗砂	0.100		中粗砂	0.100
	砂砾石	0.200		砂砾石	0.200

2.4.2 河道入渗量

河流出山后进入中游盆地,在流经透水性极强的山前洪积扇群带,大量渗漏转化为地下水,使得径流量小于 0.5 亿 m³ 的河流损失殆尽,较大的河流也将损失 32.8%～33.7%。一般来讲,河水在山前洪积扇群带的渗漏,取决于河床的地质条件。当河床为巨厚的砾卵石层而河床又不固定时河水的渗漏量最大;当河床深切、河水被围于狭窄的河槽时,则渗漏率显著降低。据 1967 年和 1985 年对黑河流量的实测资料计算,当河流输水量为 1.7～49.13m³/s 时,洪积扇群带每公里的渗漏率为 0.67%～14.7%。河流进入下游,再度渗漏而转化为地下水。尤其是额济纳盆地河床全部处于渗漏状态。随着河床岩性颗粒的变细和地下水位的变浅,河水渗漏率逐渐减小。

河道入渗量的计算以引水口为界分两段进行,即渠首以上和渠首以下至泉水溢出带。

在入渗补给带黑河流域几乎所有河流的河床底部与地下水之间均存在有包气带,因此在计算河道入渗量时,需要扣除消耗于包气带的水量损失。这部分水量一般以河流渗漏量的10%计算。计算公式如下:

渠首以上
$$RI_1 = Q_河 \cdot \lambda \cdot \gamma \tag{4-2}$$

渠首以下
$$RI_2 = (Q_河 - RI_1 - Q_引) \cdot \lambda \cdot \gamma \tag{4-3}$$

河道入渗补给量
$$RI = RI_1 + RI_2 \tag{4-4}$$

式中:RI——河道入渗补给量;

RI_1——渠首以上河道入渗补给量;

RI_2——渠首以下至泉水溢出带河道入渗补给量;

$Q_河$——河道输水量,在此为河流出山口径流量;

$Q_引$——渠首引水量;

λ——河道渗漏率。根据黑河流域各河流的河床情况、输水量大小等因素,按甘肃省地质局的成果,在渠首以上取12%~18%,渠首以下取39%~81%;

γ——河道渗漏有效补给系数,一般取0.9。

河流进入额济纳盆地,河床全部处于渗漏状态。据1988年对黑河流域下游河道渗漏率的实测资料,在湖西新村以南河段,当河道输水为27.17~1.82m³/s时,河流单长渗漏率为1.0%~5.02%;东河河水闸河段,当河道输水量为12.41~1.59m³/s时,河流单长渗漏率为0.62%~5.51%。经计算,黑河流域平原区河道入渗总量为14.426亿 m³(详见表4-10)。

表4-10　　　　　黑河流域各计算单元河道入渗补给地下水量　　　　(单位:亿 m³)

计 算 单 元	河道入渗补给量	计 算 单 元	河道入渗补给量
大马营盆地	0.189	清 金 区	0.840
新河盆地	0.022	酒 泉 市	2.132
民 乐 县	0.749	嘉 峪 关 市	0.741
张 掖 市	3.171	鸳 鸯 池 盆 地	
临 泽 县	0.739	鼎 新 盆 地	1.376
高 台 县	0.346	额 济 纳 盆 地	3.978
盐池-明花区	0.143	合　　　　计	14.426

2.4.3 降水入渗与凝结水入渗补给

降水入渗系数是降水补给地下水的水量与降水量的比值,为无量纲参数。黑河流域中下游地区气候干旱,降水稀少,且多集中于高温的夏季,因而降水对地下水的补给作用极其有限。据甘肃省地质局在酒泉、张掖等地建立的地渗仪长期观测资料,由于灌区和非灌区包气带水分条件的差异,降水入渗的情况亦有所区别。一般来说,非灌区地下水位埋深小于 1m 的地段,才能直接观测到降水的入渗,而在灌区地下水位埋深小于 5m 的地段,均可观测到由于降水引起的水位上升。影响降水入渗多寡更为重要的因素是降水量的大小。在中游地区(包括金塔鸳鸯池和鼎新)一般选择日降水量大于 10mm 作为有效降水,其有效降水入渗率大致在 0.45~0.64 之间变化(平均 0.55)。根据地下水动态长观资料分析结果:当地下水位埋深小于 3m,次降水量大于 5mm 时,降水对地下水才形成补给;当埋深大于 3m,次降水量大于 10mm,降水对地下水才形成补给;当地下水位埋深大于 5m 时,地下水位虽有上升,但上升幅度极其微弱。因此,在进行降水入渗补给量的计算时,地下水位埋深的最大取值为 5m,再划分为小于 1m、1~3m、3~5m 三种情况分别取不同的参数。

凝结水对地下水的补给量是一个争议较大的问题,其争议的焦点在于数量的大小。据甘肃省地矿局水文二队 1986 年至 1988 年在张掖的观测结果,包气带的水汽凝结主要发生在 10 月至次年 6 月,以三月份最大;在垂向上,首先随着地下水位埋深的增大而减小,然后又随着水位埋深的增大而增加,拐点大致在 2.0~3.0m。分析凝结水过程线,可以看到凝结量最大值发生在 2 月末至 3 月中旬的融冻期,这是由于融冻水回渗造成的假凝结,属于潜水的自身重复。从凝结量随水位埋深变化的情况来看,拐点以上的水量可以认为是水汽进入包气带后的凝结量,拐点以下的凝结水量则为潜水在包气带运动(毛细水和水汽)的回渗量。因此,凝结水量的计算应当在水位埋深 2m 以上的地段进行,在扣除上述潜水回渗形成的假凝结以后的凝结水量取值为:水位埋深 0.25m 时为 47mm,0.5m 时为 42mm,1m 时为 32mm,1.5m 时为 28mm,2m 时为 25mm。

降水入渗补给量的计算公式为 $\qquad$ $P = P_{有效} \cdot \alpha \cdot F$ $\qquad$ (4-5)

凝结水对地下水补给量的计算公式为 $\qquad$ $C = \beta \cdot F$ $\qquad$ (4-6)

降水与凝结水补给量为 $\qquad$ $PC = P + C$ $\qquad$ (4-7)

式中:PC——降水与凝结水对地下水的补给量;

$\quad P$——降水对地下水的补给量;

$\quad C$——凝结水对地下水的补给量;

$\quad P_{有效}$——引起地下水位上升的有效降水量,为次降水量大于 10mm 的累计值,一般情况下,有效降水量占降水总量的 2%~27%;

$\quad \alpha$——有效降水量的入渗系数,一般取 0.45~0.64;

$\quad \beta$——凝结水入渗强度;

$\quad F$—为降水入渗或凝结水入渗补给地下水的面积。

经计算,黑河流域平原区降水与凝结水入渗量为 1.141 亿 m³(见表 4-11)。

2.4.4 潜水蒸发蒸腾系数

潜水蒸发蒸腾是地下水的主要排泄方式。潜水蒸发量的大小受气候因素的影响,并随水位埋深的增加而减小。根据地渗仪观测资料,在水位埋深小于 1m 的地段,蒸发量随气温的升高而增加,随气温的下降而减少;当水位埋深在 1~2m 时,蒸发量夏季随气温升高而增加,但在冬季却因冻结作用也出现蒸发量增大的现象;当水位埋深大于 3m 时,蒸发量在夏季受气温变化影响显著减弱,而冬季受冻结势的影响却甚为明显。实际上,冻结势作用下的潜水上移并未使水分逸出包气带,而是聚集于正冻土体,融冻后部分消耗于蒸发,部分又回归于含水层中,因此,实际蒸发量必须扣除上述由于冻结作用引起的假蒸发量。经过修正后的潜水蒸发值,见表 4-12。

表 4-11　　　　　　　　黑河流域各计算单元降水与凝结水入渗补给量　　　　　（单位:亿 m³）

计 算 单 元	降水与凝结水入渗补给量	计 算 单 元	降水与凝结水入渗补给量
大马营盆地	0.040	清 金 区	
新河盆地		酒 泉 市	0.288
民 乐 县		嘉 峪 关 市	0.010
张 掖 市	0.061	鸳 鸯 池 盆 地	0.095
临 泽 县	0.151	鼎 新 盆 地	0.118
高 台 县	0.233	额 济 纳 盆 地	0.146
盐池－明花区		合 　 计	1.142

表 4-12　　　　　　　　张掖平原堡地渗仪观测蒸发强度(1986～1988 年)

地下水埋深(m)	0.25	0.5	1.0	1.5	2.0	3.0	5.0	6.8
潜水蒸发量(mm)	617.12	327.79	193.42	75.85	94.69	44.87	37.13	14.79

在植被覆盖条件下的潜水蒸发蒸腾较之单纯的潜水蒸发要复杂得多。1965～1968 年在玉门镇观测结果显示,水位埋深 0.5m 时草甸植被下(覆盖度 100%)的潜水蒸发、蒸腾量,四年平均值达到 1 850mm。安西南桥于 1967～1968 年的对比观测证实,有植被和无植被条件下潜水的蒸发、蒸腾量与蒸发量之间的比值为:潜水埋深 0.5m 时是 2.86;1.0m时是 1.98;1.5m 时是 1.72;2.5m 时是 2.45。

灌区作物对地下水的消耗因地下水位埋深和灌水量的大小而异。观测证实,即使在充分灌溉条件下,当地下水位埋深小于 3.5m 时,作物仍将消耗一部分地下水。据安西南桥 1967 年测定,地下水位埋深 1.5～2.5m 时,作物生长期消耗地下水的数量为 68.9～114.7mm。黑河流域目前作物生长期净灌水量多介于 4 500～5 250m³/hm²,作物消耗地下水 10～90mm。

对于黑河流域中游地区(含金塔鸳鸯池盆地和鼎新盆地)潜水蒸发蒸腾可以由下式计算

$$EV = \sum C_i \cdot F_i \tag{4-8}$$

式中:EV——地下水蒸发蒸腾量;

　　C_i——不同水位埋深条件下的蒸发强度;

　　F_i——不同水位埋深的面积。

额济纳盆地是黑河流域下游的一个特殊地区,地下水几乎全部消耗于潜水的蒸发蒸腾,在此我们对该地区蒸发蒸腾量的计算给予特别说明。该地区的潜水蒸发蒸腾由三部分组成:一是植被极其稀疏的荒区,浅根系的稀疏短命植物的水分消耗主要与稀少的降水取得平衡,因此,只计算潜水的蒸发;二是植被覆盖区,在植物非生长季节的潜水蒸发;三是植物的蒸腾,主要计算乔灌木的蒸腾量,草本植物中以芦苇为代表进行综合考虑,耕作区以小麦为代表进行综合考虑。

由于额济纳地区未积累潜水蒸发方面的实验资料,蒸发量的计算多采用河西地区地渗仪观测数据。考虑到气候条件的差异,在计算时给予一定的修正(表4-13)。

表 4-13 额济纳地区不同水位埋深潜水蒸发强度

地下水埋深(m)	0~1.0	1.0~3.0	3.0~5.0
潜水蒸发量(mm)	631.00	131.96	25.42

植被覆盖条件下的潜水蒸发蒸腾主要依据石羊河下游民勤地区的观测试验结果,沙拐枣、沙枣、柽柳等八种乔灌木在充分供水时单株耗水量达 $1.7 \sim 24 m^3$。其实验地段地下水位埋深在 $4 \sim 6 m$,当地下水位埋深大于 $6 m$ 时,树木对地下水的消耗量显著减小。植物的蒸腾主要发生在生长期内,非生长期的蒸腾量很小。草本植物的蒸腾量相对于乔灌木要小得多,据前苏联拉基米洛夫实测,单株芦苇年耗水量为 $0.005 m^3$,耕作区农作物对地下水的消耗量据甘肃省地质局在玉门镇的观测,农作物消耗的水量小麦为 $4 350 m^3 / hm^2$,玉米为 $6 750 m^3 / hm^2$。根据实际调查,额济纳地区的天然植被主要生长在地下水位埋深小于 $5 m$ 的地区,小麦则主要种植在水位埋深 $1 \sim 3 m$ 的地区。天然植被的生长期为 $5 \sim 10$ 月份,小麦生长期为 $5 \sim 7$ 月份。天然植被以乔灌木林和草本植物为主,总覆盖面积约 $3 863.97 km^2$,耕作区种植面积以小麦为主,面积约 $35.48 km^2$。根据典型样本调查,获得整个地区各种类型植物及其组合的数量(表4-14)。

表 4-14 额济纳地区植物面积、密度与总株数统计

植物类型	面 积 (km²)	密 度 (株/km²)	总 株 数 (万株)
胡杨、沙枣	25	5 200	13.00
柽柳、胡杨	400	6 660	266.40
胡 杨	102	5 000	51.00
柽 柳	1 000	8 320	832.00
梭 梭	1 321.25	5 000	656.13
芦 苇	1 023.72	2×10^7	2.05×10^6
小 麦	35.48		

这样,额济纳盆地地下水蒸发蒸腾总量为 10.707 亿 m^3。其中潜水蒸发为 8.643 亿 m^3,占总量的 80.72%(见表4-15);植物蒸腾为 2.064 亿 m^3,占总量的 19.28%(见表4-16)。

经计算,黑河流域总的蒸发蒸腾量为 23.325 亿 m^3(见表4-17)。

表 4-15

额济纳地区潜水蒸发计算成果

潜水埋深 (m)	荒区潜水蒸发量			植被覆盖区非生长期潜水蒸发量			
	潜水蒸发强度 (mm)	面积 (km²)	潜水蒸发量 (亿m³)	植物种类	植被非生长期潜水蒸发强度 (mm)	面积 (km²)	潜水蒸发量 (亿m³)
<1	631	150.50	0.950	天然植被	153.58	368.50	0.566
1~3	131.96	4 284.20	5.653	天然植被	34.17	1 963.22	0.671
				小麦种植	82.28	35.48	0.029
3~5	25.42	2 675.20	0.680	天然植被	6.144	1 531.48	0.094
合 计			7.283				1.360

表 4-16　　**额济纳地区植物蒸腾量计算成果**

植物类型	胡杨、沙枣	柽柳、胡杨	胡 杨	柽 柳	梭 梭	芦 苇	小 麦
株数(万株)	13.00	266.40	51.00	832.00	656.13	2.05×10⁶	3 547(hm²)
单株耗水量(m³)	17.785	8.797	12.197	5.397	1.784	0.005	4 350(m³/hm²)
蒸腾量(亿m³)	0.023	0.234	0.062	0.449	0.117	1.025	0.154
合　　计				2.064			

表 4-17　　**黑河流域各计算单元地下水蒸发蒸腾量**　　　(单位:亿m³)

计 算 单 元	蒸发蒸腾量	计 算 单 元	蒸发蒸腾量
大马营盆地	0.105	清 金 区	
新河盆地	0.032	酒 泉 市	5.270
民 乐 县	0.005	嘉 峪 关 市	0.017
张 掖 市	0.932	鸳 鸯 池 盆 地	2.194
临 泽 县	0.855	鼎 新 盆 地	2.106
高 台 县	0.913	额 济 纳 盆 地	10.707
盐池-明花区	0.189	合　　计	23.325

2.4.5　渠系渗漏补给

黑河流域的中游是一个在西北干旱地区较为发达的灌溉农业区,除局部井灌地段外,皆引河水及泉水作为灌溉水源。引灌河水通过渠系进入田间,部分为作物生长所消耗,部分渗入地下而转化为地下水。中游的干渠一般均已衬砌。根据 1985~1986 年的典型渠道渗漏率测定,在包气带岩性为砂砾石、衬砌材料为混凝土板或浆砌的干渠,每公里渗漏率为1%～3%,年久失修的可达6%;干砌干渠2%～5%,年久失修的可达7%;未衬砌的土渠随包气带岩性和地下水位埋深变化在4%～8%之间。衬砌类型相同的支渠,其渗漏率较干渠有所提高。一般情况下,渠系渗漏补给量用下式计算。

$$CA = m \cdot Q_{引} \tag{4-9}$$

$$m = \gamma \cdot (1 - \eta) \tag{4-10}$$

式中:CA——渠系入渗补给量;

$\quad$ $Q_{引}$——渠系引水量;

$\quad$ m——渠系渗漏补给系数;

$\quad$ γ——渠系渗漏的有效补给系数(或修正系数),通常取0.9;

$\quad$ η——渠系利用系数,各计算单元的取值见表4-18。

表 4-18   黑河流域各计算单元渠系有效利用系数

计 算 单 元	引河水渠系	引泉渠系	地下水开采渠系
大马营盆地	0.53	0.53	0.7
新河盆地	0.53	0.53	0.7
民 乐 县	0.49	0.49	0.7
张 掖 市	0.57	0.57	0.7
临 泽 县	0.53	0.53	0.7
高 台 县	0.54	0.54	0.7
盐池-明花区	0.54	0.54	0.7
清 金 区	0.55	0.55	0.7
酒 泉 市	0.60	0.60	0.7
嘉 峪 关 市	0.60	0.60	0.7
鸳鸯池盆地	0.60	0.60	0.7
鼎 新 盆 地	0.52	0.52	0.7
额济纳盆地			0.7

严格地讲,下游额济纳旗没有真正意义上的渠道,现有的渠系入渗按河道入渗计算,并且已经计入河道入渗的补给量中。因此,这里的渠系入渗补给量在数量上作0考虑。

经计算,黑河流域平原区渠道入渗量为11.593亿 m³(见表4-19)。

表 4-19　　　　　　　**黑河流域各计算单元渠系渗漏补给量**　　　　　　（单位：亿 m³）

计 算 单 元	渠系渗漏补给量	计 算 单 元	渠系渗漏补给量
大马营盆地	0.106	清 金 区	0.860
新 河 盆 地	0.254	酒 泉 市	2.118
民 乐 县	1.161	嘉 峪 关 市	0.200
张 掖 市	2.072	鸳 鸯 池 盆 地	1.101
临 泽 县	1.908	鼎 新 盆 地	0.483
高 台 县	1.155	额 济 纳 盆 地	
盐池-明花区	0.175	合　　　计	11.593

2.4.6　灌溉水入渗

灌溉水进入田间以后，一部分为作物蒸腾及作物棵间蒸发消耗，通常称为"净耗水量"，另一部分则渗漏补给地下水，成为"灌溉水入渗"。田间灌溉水入渗的大小决定灌溉地段潜水位埋深、土层性质以及灌水次数和灌溉水量的大小等。一般情况下，灌溉水入渗量由下式计算。

$$IR = \beta \cdot Q_{灌} \tag{4-11}$$

式中：IR——田间灌溉水入渗量；

$\quad Q_{灌}$——田间灌溉水量；

$\quad \beta$——田间灌溉水的入渗率。

田间灌溉水的入渗率，甘肃省地质局 1966 年曾在酒泉银达做过专门试验：地下水埋深 3～6m 地段，包气带岩性为亚砂土、亚黏土夹砂，平均公顷灌水量7 161m³，在水位埋深 3～3.5m 地段入渗率为 23%～34.2%；大于 3.5m 地段，基本稳定在 12%～17% 之间。后来，水文地质二队在张掖梁家墩乡、高台正远乡进行参数研究的典型地段，利用电子计算机反求灌溉水入渗率：水位埋深小于 1.0m 地段为 28.1%，1～3m 地段为 35.3%，3～5m 地段为 28.4%，5～7m 地段为 22.3%，两者十分接近。

经计算，黑河流域平原区灌溉水入渗补给量为 3.808 亿 m³（见表 4-20）。

表 4-20　　　　　　**黑河流域各计算单元灌溉水入渗补给量**　　　　　　（单位：亿 m³）

计 算 单 元	灌溉水入渗补给量	计 算 单 元	灌溉水入渗补给量
大马营盆地	0.019	清 金 区	0.271
新 河 盆 地	0.023	酒 泉 市	0.681
民 乐 县	0.182	嘉 峪 关 市	0.077
张 掖 市	0.716	鸳 鸯 池 盆 地	0.418
临 泽 县	0.607	鼎 新 盆 地	0.103
高 台 县	0.227	额 济 纳 盆 地	0.426
盐池-明花区	0.058	合　　　计	3.808

2.4.7 侧向补给与排泄

侧向补给与排泄是指相对某一个计算单元的地下径流补给和排泄。在计算过程中，这一部分量包括流域内与流域外之间的补给和排泄，以及计算单元之间的补给和排泄。侧向补给和排泄的计算方法一般采用达西公式，即

$$GI = K \cdot I \cdot H \cdot B \cdot \sin\alpha \tag{4-12}$$

式中：GI——地下水侧向流入量；

K——含水层的渗透系数；

I——地下水水力坡度；

H——含水层厚度；

B——过水断面宽度；

α——地下水流与过水断面之间的夹角。

然而，在黑河流域由于计算单元的划分并没有完全考虑到地下水流的剖面状况，而且目前的基础资料又不能满足单元之间地下水流的计算要求。鉴于基础资料的程度，侧向补给与排泄的计算包括三种方式：

一是在基础资料允许的前提下，尽可能采用达西公式计算。如位于流域下游额济纳盆地东南部的巴丹吉林沙漠对额济纳盆地的补给。巴丹吉林沙漠有相对较丰的降水，地下水的侧向径流补给构成了维系古日乃湖区的主要水源。巴丹吉林沙漠面积大，但只有很小一部分属于黑河流域。根据甘肃省地质局水文地质二队 1980 年天仓—咸水和中国人民解放军 00927 部队 1980 年务桃亥—特罗西滩两种 1/20 万水文地质普查资料，按达西公式计算（表4-21）。结果，侧向补给量为 1.291 亿 m^3，其中巴丹吉林沙漠对额济纳盆地的补给量为 1.289 亿 m^3；黑河河谷地下潜流的侧向补给量为 0.002 亿 m^3。

二是基础资料达不到应用达西公式的条件下，但又有一定的前期工作基础，一般采用已有的成果。这些成果一般来源于水利部门或水文地质部门的实际调查数据。

三是没有任何基础资料，但又要求满足专题资源评价的那些计算单元，采用水平衡的方法进行估算。结果见表4-22。

2.4.8 泉水溢出量

冲洪积扇群带地下水沿地形坡降向细土平原运动，至扇缘和与之相毗邻的细土平原，由于含水层导水性的变化，地下水沿沟壑呈泉水大量溢出地表，汇集成泉沟，排泄于河道而转化为河水。一般在泉脑为涓涓细流，流量为 3～8L/s，并随着流程的增加而流量增大，泉沟流量达 1 000～3 000L/s。受河水渗入补给的制约，泉水的分布与河流关系密切。因此，平面上可将泉水归属于该河流，谓之某某河流泉域。显然，泉域规模的大小和水量的丰枯，取决于河流规模的大小及河水流量的多寡。

黑河中游细土带河床，是隐伏的地下水与河水转化场所。这里，河流切割含水层，且河水位低于地下水位而成为地下水排泄的天然通道；在河流出口（正义峡）处基岩裸露，致使中游盆地第四系孔隙水至此全部转化为河水。据 1986 年 4～5 月枯水期对该段河床所进行遥测流资料可以看出，转化量最大的河段发生在高崖—平川，每公里转化量达 4 972 L/s；高台附近河段转化量最小，仅 146L/s；高台—正义峡河段，转化量虽较高台附近有所增加，但远逊于高崖—平川河段。同样，在北大河也存在类似的地下水与地表水的相互作

用与转化。

表 4-21　　　　　　额济纳盆地南部和东南部断面地下水潜流量计算成果

孔　号	含水层厚度 （m）	过水断面宽度 （m）	水力坡度 （%）	渗透系数 （m/d）	夹　角 （度）	潜流量 （亿 m³）
黑河河谷	40	1 125	0.15	10	90	0.002
30	25.76	4 000	0.11	27.3	56	0.009
18	164.5	35 000	0.08	29.13	47	0.358
20	117.38	26 000	0.07	11.0	65	0.078
22	123.93	18 600	0.10	12.7	70	0.100
W7	148.83	20 000	0.16	7.49	90	0.130
W6	160.44	12 500	0.25	7.68	80	0.138
		9 500	0.33	7.68	58	0.120
W5	150.87	9 500	0.28	6.62	60	0.084
		19 000	0.11	6.62	35	0.044
W4	169.93	54 000	0.13	8.14	40	0.228
合　计						1.291

表 4-22　　　　　　黑河流域地下水侧向补给量计算成果　　　　　　（单位:亿 m³）

计 算 单 元	侧向补给量(1)	侧向排出量(2)	说　明
大 马 营 盆 地	0.082		
新 河 盆 地	0.103	0.100	补给量含大黄山区的地下径流;排泄补给张掖灌区
民 乐 县	0.417	2.825	排泄补给张掖灌区
张 掖 市	0.399	0.310	补给量含龙首山的地下径流;排泄补给临泽灌区
临 泽 县	0.185	0.182	补给量含龙首、合黎山区地下径流;排泄补给高台灌区
高 台 县	0.074		补给量含合黎山的地下径流
盐池-明花区			
清 金 区	0.183	2.436	排泄补给酒泉灌区
酒 泉 市	0.231	0.508	排泄补给金塔鸳鸯池盆地
嘉 峪 关 市	0.049	0.722	排泄补给酒泉灌区
鸳 鸯 池 盆 地	0.116	0.110	排泄补给鼎新盆地
鼎 新 盆 地		0.002	排泄补给额济纳盆地
额 济 纳 盆 地	1.324		
合 　 计	3.163	7.195	

注　(1)侧向补给量未含盆间的相互作用量;(2)侧向排出量主要指盆地间的相互作用量。

据调查,黑河流域泉水溢出总量为 18.344 亿 m³(表 4-23)。

表 4-23　　　　　　　　　　黑河流域泉水溢出量统计　　　　　　　　(单位:亿 m³)

计 算 单 元	泉水溢出量	计 算 单 元	泉水溢出量
大马营盆地	0.615	清 金 区	
新 河 盆 地	0.203	酒 泉 市	3.589
民 乐 县		嘉 峪 关 市	0.254
张 掖 市	8.429	鸳 鸯 池 盆 地	
临 泽 县	3.308	鼎 新 盆 地	
高 台 县	1.759	额 济 纳 盆 地	
盐池-明花区	0.187	合 　 计	18.344

2.4.9　人工开采量

尽管黑河流域地下水的开采已经具有较长的历史,而且开采量在一些地段也具备了一定的规模,尤其是在纯井灌区造成了地下水位的连续下降。但就总体而言,黑河流域地下水的开采量仍然很小。

结合调查数据、各年度水利年报和已有资料分析,近年来黑河流域地下水人工开采量为 3.313 亿 m³(表 4-24)。

表 4-24　　　　　　　黑河流域各计算单元人工开采量统计　　　　　　(单位:亿 m³)

计 算 单 元	人工开采量	计 算 单 元	人工开采量
大马营盆地	0.004	清 金 区	
新 河 盆 地	0.369	酒 泉 市	0.406
民 乐 县	0.001	嘉 峪 关 市	0.508
张 掖 市	0.556	鸳 鸯 池 盆 地	0.328
临 泽 县	0.027	鼎 新 盆 地	0.129
高 台 县	0.189	额 济 纳 盆 地	0.110
盐池-明花区	0.111	合 　 计	2.738

2.4.10　水库入渗

黑河流域目前尚无较大的水库,已有的水库可以分为两大类。一是山前的水库,这些水库的入渗量已经计入山前侧向补给;二是平原水库,这些水库大多修建在浅水位带,水库的水面与地下水位相平衡,不计算平原水库入渗补给量。根据甘肃省水利水电勘测设计院的计算,黑河流域水库入渗补给量为 0.093 亿 m³。其中金塔鸳鸯池盆地为 0.075 亿 m³,额济纳盆地为 0.018 亿 m³。

2.5　均衡计算结果

将上述各计算单元的地下水补给与排泄项的计算结果汇总于表 4-25。从表中可以看出,几乎所有的计算单元地下水均处于负均衡状态。

表 4-25　　黑河流域平原区各计算单元多年平均地下水均衡计算成果

（单位：亿 m³）

计算单元	补给项										合计
	河道入渗	侧向补给	降水与凝结水入渗	渠系入渗	田间灌溉水入渗	泉水回归	地下水开采回归	水库入渗	工业弃水	单元间径流	
大马营盆地	0.189	0.082	0.040	0.106	0.019	0.270					0.706
新河盆地	0.022	0.103		0.254	0.023	0.025	0.092				0.519
民乐县	0.749	0.417		1.161	0.182						2.509
张掖市	3.171	0.399	0.061	2.072	0.716	0.485	0.189			2.925	10.018
临泽县	0.739	0.185	0.151	1.908	0.607	0.150	0.024			0.310	4.074
高台县	0.346	0.074	0.233	1.155	0.227	0.031	0.177			0.182	2.425
盐池-明花区	0.143			0.175	0.058	0.017	0.050				0.443
清区	0.840	0.183		0.860	0.271						2.154
酒泉市	2.132	0.231	0.288	2.118	0.681	0.709	0.335			3.158	9.652
嘉峪关市	0.741	0.049	0.010	0.200	0.077		0.012				1.089
鸳鸯池盆地		0.116	0.095	1.101	0.418		0.050	0.075		0.508	2.363
鼎新盆地	1.376		0.118	0.483	0.103		0.041			0.110	2.231
额济纳盆地	3.978	1.324	0.146		0.426		0.012	0.018		0.002	5.906
合　计	14.426	3.163	1.142	11.593	3.808	1.687	0.982	0.093		7.195	44.089

续表 4-25

计算单元	排泄项					均衡结果	面积 (km²)	综合给水度	地下水位变化 (m)
	蒸发蒸腾	泉水溢出	人工开采	侧向排出	合计				
大马营盆地	0.105	0.615	0.004		0.724	-0.018			
新河盆地	0.032	0.203	0.369	0.100	0.704	-0.495	3 698.3	0.15	-0.04
民乐县	0.005	8.429	0.001	2.825	2.831	-0.322	1 929.1	0.15	-0.11
张掖市	0.932	3.308	0.556	0.310	10.227	-0.209	3 658.0	0.15	-0.04
临泽县	0.855	1.759	0.027	0.182	4.372	-0.297	2 733.1	0.15	-0.07
高台县	0.913	0.187	0.189		2.861	-0.436	3 582.2	0.15	-0.08
盐池-明花区	0.189		0.111		0.487	-0.044	1 995.3	0.15	-0.01
清金区				2.436	2.436	-0.282	1 306.5	0.15	-0.14
酒泉市	5.270	3.589	0.406	0.508	9.773	-0.121	2 102.0	0.15	-0.04
嘉峪关市	0.017	0.254	0.508	0.722	1.501	-0.412	1 475.8	0.15	-0.19
鸳鸯池盆地	2.194		0.328	0.110	2.632	-0.269	7 807.3	0.15	-0.02
鼎新盆地	2.106		0.129	0.002	2.237	-0.006	7 764.7	0.15	
额济纳盆地	10.707		0.110		10.817	-4.911	62 201.6	0.15	-0.05
合计	23.325	18.344	2.738	7.195	51.602	-7.513	100 253.9	0.15	-0.05

为了检验计算结果,运用方程(4-1)公式计算了各计算单元地下水位变化幅度(表4-25)。结果表明:整个黑河平原地下水处于负均衡状态,面积加权平均地下水位下降幅度为0.050m;下降幅度最大的是民乐、清金区、嘉峪关市等地下水位埋藏较深且以引河水灌溉为主的单元,地下水位下降幅度超过0.10m;鼎新盆地大体持平,与实际情况差异不大。所以,可以作出这样的结论:本次的均衡计算是基本符合实际情况的。

2.6 现状年(1995年)地下水资源

现状年地下水资源计算中的计算分区、计算方法以及参数的选取,均采用多年平均中的计算方法和标准。在本报告中,只反映补给项的成果。现状年各计算单元地下水各项补给量,见表4-26。

2.7 重复计算量的剔除

从上面的计算可以看出,黑河流域平原区的地下水包含着重复计算量。这里所说的重复计算量包含两部分含义:

一是地表水与地下水之间的重复。如南盆地(山丹大马营盆地、新河盆地、张掖盆地、酒泉盆地)的河道入渗、渠系入渗、灌溉水入渗,均为山区地表水在盆地渗漏所形成的地下水补给。

二是地下水之间的重复。如南盆地的泉水回归入渗补给、人工开采地下水的回归补给。山区与平原区也同时存在着相互重复的问题,在山区出山径流中包含着一部分山区的地下水;下游盆地如金塔鸳鸯池盆地、鼎新盆地、额济纳盆地的地表水包含着中游盆地的地下水补给。另外,在计算单元之间存在着单元间地下水的侧向补排,也同时归入地下水之间的重复。

上述地下水的重复需要在资源评价中予以扣除。

中游盆地间地下水的重复计算相对简单,可以直接将泉水回归、地下水开采回归和计算单元之间的侧向径流从总补给量中扣除。下游盆地的计算则比较复杂。在干流区,中、下游的分界线在正义峡,西部水系中、下游的分界线在佳山峡,在计算中分别以正义峡和鸳鸯池水库水文站的水文数据进行分割,可以获得中下游盆地之间地下水的重复量,然后再根据其比例关系推算下游盆地的地下水重复量。由于基础数据的原因,本次工作没有获得相关水文站的日径流资料,在此我们采用已有的成果进行计算。据甘肃省地质局、中国科学院兰州沙漠研究所的资料(表4-27),分别采用河川基流量与河川径流量的比值56.7%和62.4%乘以河道入渗、渠系入渗、田间灌溉水入渗和水库入渗量,作为地下水之间的重复量,从总量中扣除。

上游山区与中、下游平原区的地下水之间的重复是针对整个流域而言的。这一部分重复量的计算,采用甘肃省水利水电勘测设计院的资料(表4-28),进行计算。

经计算,黑河流域平原区多年平均地下水资源量为29.661亿 m^3,扣除包括山区地下水重复计算量在内的所有重复量以后的地下水资源量为17.221亿 m^3(表4-29)。

表 4-26　　　　1995 年黑河流域平原区各计算单元地下水补给项计算成果　　　（单位：亿 m³）

计算单元	补给量					
	河道入渗	侧向补给	降水与凝结水入渗	渠系入渗	田间灌溉水入渗	泉水回归
大马营盆地	0.173	0.082	0.043	0.104	0.019	0.225
新河盆地	0.020	0.103		0.248	0.022	0.021
民 乐 县	0.684	0.417		1.410	0.221	
张 掖 市	2.894	0.399	0.061	2.138	0.739	0.404
临 泽 县	0.675	0.185	0.170	1.817	0.578	0.125
高 台 县	0.316	0.074	0.294	1.094	0.215	0.026
盐池-明花区	0.037			0.166	0.055	0.014
清 金 区	0.758	0.183		0.785	0.247	
酒 泉 市	1.997	0.231	0.350	1.934	0.622	0.591
嘉 峪 关 市	0.694	0.049		0.183	0.070	
鸳 鸯 池 盆 地		0.116	0.132	0.988	0.375	
鼎 新 盆 地	1.201		0.118	0.410	0.087	
额 济 纳 盆 地	1.587	1.324	0.146		0.270	
合　　计	11.036	3.163	1.314	11.277	3.520	1.406

计算单元	补给量				
	地下水开采回归	水库入渗	工业弃水	单元间径流	合　　计
大马营盆地					0.646
新河盆地	0.110				0.524
民 乐 县					2.732
张 掖 市	0.227			2.925	9.787
临 泽 县	0.029			0.310	3.889
高 台 县	0.212			0.182	2.413
盐池-明花区	0.060				0.332
清 金 区					1.973
酒 泉 市	0.402			3.158	9.285
嘉 峪 关 市	0.014				1.010
鸳 鸯 池 盆 地	0.060	0.075		0.508	2.254
鼎 新 盆 地	0.049			0.110	1.975
额 济 纳 盆 地	0.014	0.018		0.002	3.361
合　　计	1.177	0.093		7.195	40.181

表 4-27 黑河流域下游河川基流占河川径流百分比(基径比)

流　域	河　流	测　站	基径比(%)
黑　河	黑　河	正义峡	56.7
	北大河	鸳鸯池	62.4

表 4-28 黑河流域平原区河流地下水补给比重

流域	子水系	主　要　河　流	地下水比重(%)
黑河	东部子水系	洪水河、大渚马河、酥油口河、黑河、梨园河	37.7
	中部子水系	丰乐河、观山河、马营河	23.1
	西部子水系	讨赖河(北大河)、洪水河	58.5

表 4-29 黑河流域平原区各计算单元多年平均地下水资源

(含矿化度>2g/L　单位:亿 m³)

计算单元	总补给量	地下水重复量	中下游盆地地下水重复量	平原区地下水资源量	山区与中下游平原的地下水重复量	不含重复计算的地下水资源量
大马营盆地	0.706	0.270		0.436	0.200	0.235
新河盆地	0.519	0.117		0.402	0.216	0.186
民乐县	2.509			2.509	1.206	1.304
张掖市	10.018	3.599		6.419	2.646	3.773
临泽县	4.075	0.484		3.591	1.412	2.179
高台县	2.425	0.390		2.035	0.725	1.310
盐池-明花区	0.443	0.067		0.376	0.087	0.289
清金区	2.154			2.154	0.638	1.516
酒泉市	9.652	4.202		5.450	3.115	2.335
嘉峪关市	1.089	0.012		1.077	0.645	0.432
鸳鸯池盆地	2.362	0.558	0.995	0.809	0.423	0.386
鼎新盆地	2.231	0.151	1.112	0.968	0.320	0.648
额济纳盆地	5.906	0.014	2.507	3.385	0.757	2.628
合　计	44.089	9.864	4.614	29.661	12.390	17.221

黑河流域平原区现状年地下水资源量为 27.480 亿 m³,扣除包括山区地下水重复计算在内的所有重复量以后的地下水资源量为 15.976 亿 m³(表 4-30)。

表 4-30 1995 年黑河流域平原区各计算单元地下水资源

(含矿化度>2g/L 单位:亿 m³)

计 算 单 元	总补给量	地下水重复量	中下游盆地地下水重复量	平原区地下水资源量	山区与中下游平原的地下水重复量	不含重复计算的地下水资源量
大马营盆地	0.646	0.225		0.421	0.194	0.227
新河盆地	0.524	0.131		0.393	0.212	0.181
民乐县	2.732			2.732	1.290	1.442
张掖市	9.787	3.556		6.231	2.575	3.656
临泽县	3.889	0.464		3.425	1.342	2.083
高台县	2.413	0.420		1.993	0.687	1.306
盐池-明花区	0.332	0.074		0.258	0.060	0.198
清金区	1.973			1.973	0.596	1.377
酒泉市	9.285	4.151		5.134	2.895	2.239
嘉峪关市	1.010	0.014		0.996	0.603	0.393
鸳鸯池盆地	2.254	0.568	0.897	0.789	0.432	0.357
鼎新盆地	1.975	0.159	0.963	0.853	0.277	0.576
额济纳盆地	3.361	0.016	1.063	2.282	0.341	1.941
合 计	40.181	9.778	2.923	27.480	11.504	15.976

经过上述计算以后,消除了地下水之间的重复计算量。然而,地表水与地下水之间的重复量仍未消除。就平原区而言,与地表之间的非重复计算量包括上游祁连山区未计入地表水部分山区侧向径流补给和下游山区的侧向径流补给,以及降水和凝结水入渗补给,结果多年平均为 4.305 亿 m³,现状年为 4.477 亿 m³;如对整个流域而言,上游祁连山区的侧向径流补给及下游山区的侧向补给已经计入山区地下水资源,也需要扣除,计算结果多年平均为 2.431 亿 m³,现状年为 2.603 亿 m³(表 4-31)。

表 4-31　　　　　　　　　　黑河流域平原区各计算单元非重复地下水资源

（含矿化度＞2g／L　单位：亿 m³）

计 算 单 元	多年平均		现状年(1995 年)	
	平原区非重复地下水资源量	扣除山区重复计算的地下水资源量	平原区非重复地下水资源量	扣除山区重复计算的地下水资源量
大马营盆地	0.122	0.040	0.125	0.043
新 河 盆 地	0.103		0.103	
民 乐 县	0.417		0.417	
张 掖 市	0.460	0.061	0.460	0.061
临 泽 县	0.336	0.151	0.355	0.170
高 台 县	0.307	0.233	0.368	0.294
盐池-明花区				
清 金 区	0.183		0.183	
酒 泉 市	0.519	0.288	0.581	0.350
嘉 峪 关 市	0.059	0.010	0.049	
鸳鸯池盆地	0.211	0.095	0.248	0.132
鼎 新 盆 地	0.118	0.118	0.118	0.118
额济纳盆地	1.470	1.435	1.470	1.435
合 　 计	4.305	2.431	4.477	2.603

三、分区地下水资源量

上述计算结果,平原区不含地下水重复计算的地下水资源量多年平均为 17.211 亿 m³,现状年为 15.976 亿 m³。在扣除地表水重复计算的地下水资源量多年平均为 2.431 亿 m³,现状年为 2.603 亿 m³。

根据上述计算,按照专题的分区要求,对各分区的地下水资源进行汇总。结果见表 4-32、表 4-33、表 4-34 和表 4-35。

表4-32　　黑河流域流域分区多年平均地下水资源量汇总

（矿化度<2g/L　单位:亿m³）

流域	水系	地貌类型	分区名称	面积(km²)	山丘区		平原区			合计		可开采量
					地下水资源量	与河川径流不重复计算量	地下水资源量	不含重复计算量的地下水资源量	与河川径流不重复计算量	地下水资源量	与河川径流不重复计算量	
					(1)	(2)	(3)	(4)	(5)	(6)=(1)+(4)	(7)=(2)+(5)	
	东部	山区	东部海北山山区	7 138.2	4.942					4.942		0.020 6
			东部张掖山区	9 721.3	4.364	0.786				4.364	0.786	0.009 7
			东部山区	16 859.5	9.306	0.786				9.306	0.786	0.030 3
黑河		平原	东部张掖走廊	15 600.7			15.017	8.987	0.485	9.086	0.584	1.463
			东部酒泉鼎新	7 764.7			0.968	0.648	0.118	0.648	0.118	1.349
			东部平原	23 365.4	0.099	0.099	15.985	9.635	0.603	9.734	0.702	2.812
		高原	东部额济纳	62 201.6	0.035	0.035	3.385	2.628	1.435	2.663	1.470	0.196
			东部高原	62 201.6	0.035	0.035	3.385	2.628	1.435	2.663	1.470	0.496
			黑河东部	102 426.5	9.440	0.920	19.370	12.263	2.038	21.703	2.958	3.338

流域	水系	分区名称	地貌类型	面积 (km²)	山丘区		平原区			合计		可开采采量
					地下水资源量	与河川径流不重复计算量	地下水资源量	不含重复量的地下水资源量	与河川径流不重复计算量	地下水资源量	与河川径流不重复计算量	
					(1)	(2)	(3)	(4)	(5)	(6)=(1)+(4)	(7)=(2)+(5)	
黑河	中部	中部张掖山区	山区	1 599.7	1.486	0.183				1.486	0.183	
		中部山区		1 599.7	1.486	0.183				1.486	0.183	
		中部明花盐池	平原	1 995.3			0.376	0.289		0.289		0.145
		中部酒泉清金		1 306.5			2.154	1.516		1.516		0.302
		中部平原		3 301.8			2.530	1.805		1.805		0.447
		黑河中部		4 901.5	1.486	0.183	2.530	1.805		3.291	0.183	0.447
	西部	西部海北山区	山区	2 649.6	1.915					1.915		
		西部张掖山区		6 920.7	3.045	0.280				3.045	0.280	
		西部山区		9 570.3	4.960	0.280				4.960	0.280	
		西部酒泉走廊	平原	9 909.3	0.018	0.018	6.161	2.721	0.383	2.739	0.401	5.137
		西部嘉峪关		1 475.8			1.077	0.432	0.010	0.432	0.010	0.253
		西部平原		11 385.1	0.018	0.018	7.238	3.153	0.393	3.171	0.411	5.390
		黑河西部		20 955.4	4.978	0.298	7.238	3.153	0.393	8.131	0.691	5.390
黑河流域				128 823.4	15.904	1.401	29.138	17.221	2.431	33.125	3.832	9.175

表 4-33 黑河流域行政分区多年平均地下水资源量汇总

(矿化度<2g/L   单位:亿 m³)

行政分区	面积 (km²)	山丘区		平原区			合计		可开采量
		地下水资源量(1)	与河川径流不重复计算量(2)	地下水资源量(3)	不含重复计算量的地下水资源量(4)	与河川径流不重复计算量(5)	地下水资源量(6)=(1)+(4)	与河川径流不重复计算量(7)=(2)+(5)	
海北州	9 787.8	6.857					6.857		0.020
青海省	9 787.8	6.857					6.857		0.020
张掖地区	35 837.7	8.994	1.348	15.393	9.276	0.485	18.270	1.833	1.618
酒泉地区	18 980.5	0.018	0.018	9.283	4.885	0.501	4.903	0.519	6.788
嘉峪关市	1 475.8	1.077		1.077	0.432	0.010	0.432	0.010	0.253
甘肃省	56 294.0	9.012	1.366	25.753	14.593	0.996	23.605	2.362	8.659
阿拉善盟	62 201.6	0.035	0.035	3.385	2.628	1.435	2.663	1.470	0.496
内蒙古自治区	62 201.6	0.035	0.035	3.385	2.628	1.435	2.663	1.470	0.496
黑河流域	128 283.4	15.90	1.401	29.138	17.221	2.431	33.125	3.832	9.175

表4-34

1995年黑河流域流域分区多年平均地下水资源量汇总

（矿化度<2g/L 单位:亿m³）

流域	水系	地貌类型	分区名称	面积(km²)	山丘区 地下水资源量 (1)	山丘区 与河川径流不重复计算量 (2)	平原区 地下水资源量 (3)	平原区 不含重复计算量的地下水资源量 (4)	平原区 与河川径流不重复计算量 (5)	合计 地下水资源量 (6)=(1)+(4)	合计 与河川径流不重复计算量 (7)=(2)+(5)
黑河	东部	山区	东部海北山区	7 138.2	4.524					4.524	
			东部张掖山区	9 721.3	4.146	0.786				4.146	0.786
			东部山区	16 859.5	8.670	0.786				8.670	0.786
		平原	东部山丹走廊	3 698.3	0.099	0.099	0.814	0.408	0.043	0.507	0.142
			东部民乐走廊	1 929.1			2.732	1.442		1.442	0.061
			东部张掖走廊	3 658.0			6.043	3.656	0.061	3.656	0.061
			东部临泽走廊	2 733.1			3.300	2.083	0.170	2.083	0.170
			东部高台走廊	3 582.2			1.931	1.306	0.294	1.306	0.294
			东部酒泉县新	7 764.7	0.099	0.099	0.853	0.576	0.118	0.576	0.118
			东部平原	23 365.4	0.099	0.099	15.673	9.471	0.686	9.570	0.785
		高原	东部额济纳	62 201.6	0.035	0.035	2.282	1.941	1.435	1.976	1.470
			东部高原	62 201.6	0.035	0.035	2.282	1.941	1.435	1.976	1.470
			黑河东部	102 426.5	8.804	0.920	17.955	11.412	2.121	20.216	3.041

续表 4-34

流域	水系	地貌类型	分区名称	面积(km²)	山丘区 地下水资源量 (1)	山丘区 与河川径流不重复计算量 (2)	平原区 地下水资源量 (3)	平原区 不含重复计算量的地下水资源量 (4)	平原区 与河川径流重复计算量 (5)	合计 地下水资源量 (6)=(1)+(4)	合计 与河川径流不重复计算量 (7)=(2)+(5)
黑河	中部	山区	中部张掖山区	1 599.7	1.376	0.183				1.376	0.183
黑河	中部	山区	中部山区	1 599.7	1.376	0.183				1.376	0.183
黑河	中部	平原	中部明花盐池	1 995.3			0.258	0.198		0.198	
黑河	中部	平原	中部酒泉清金	1 306.5			1.973	1.377		1.377	
黑河	中部	平原	中部平原	3 301.8			2.231	1.575		1.575	
黑河	中部		黑河中部	4 901.5	1.376	0.183	2.231	1.575		2.951	0.183
黑河	西部	山区	西部海北山区	2 649.6	1.823					1.823	
黑河	西部	山区	西部张掖山区	6 920.7	2.856	0.280				2.856	0.280
黑河	西部	山区	山区	9 570.3	4.679	0.280				4.679	0.280
黑河	西部	平原	西部酒泉	2 102.0			5.134	2.239	0.350	2.239	0.350
黑河	西部	平原	西部金塔鸳鸯	7 807.3	0.018	0.018	0.691	0.357	0.132	0.375	0.150
黑河	西部	平原	西部嘉峪关	1 475.8			0.996	0.393		0.393	
黑河	西部	平原	西部平原	11 385.1	0.018	0.018	6.821	2.989	0.482	3.007	0.500
黑河	西部		黑河西部	20 955.4	4.697	0.298	6.821	2.989	0.482	7.686	0.780
黑河	流域		黑河流域	128 283.4	14.877	1.401	27.007	15.976	2.603	30.853	4.004

表 4-35　　1995 年黑河流域行政分区地下水资源量汇总

（矿化度＜2g／L　单位：亿 m³）

行政分区	面积(km²)	山丘区		平原区			合计	
		地下水资源量(1)	与河川径流不重复计算量(2)	地下水资源量(3)	不含重复计算量的地下水资源量(4)	与河川径流不重复计算量(5)	地下水资源量(6)=(1)+(4)	与河川径流不重复计算量(7)=(2)+(5)
海北州	9 787.8	6.347					6.347	
青海省	9 787.8	6.347					6.347	
张掖地区	35 837.7	8.477	1.348	15.07	9.093	0.568	17.570	1.916
酒泉地区	18 980.5	0.018	0.018	8.651	4.549	0.600	4.567	0.618
嘉峪关市	1 475.8			0.996	0.393	0.393	0.393	
甘肃省	56 294.0	8.495	1.366	24.72	14.035	1.168	22.530	2.534
阿拉善盟	62 201.6	0.035	0.035	2.282	1.941	1.435	1.976	1.470
内蒙古自治区	62 201.6	0.035	0.035	2.282	1.941	1.435	1.976	1.470
黑河流域	128 283.4	14.870	1.401	27.00	15.976	2.603	30.853	4.004

黑河流域多年平均地下水资源量为 33.125 亿 m^3。按行政分区,青海省为 6.857 亿 m^3,甘肃省为 23.605 亿 m^3,内蒙古自治区为 2.663 亿 m^3,分别占总量的 20.7%、71.3% 和 8.0%。按流域分区,东部水系为 21.703 亿 m^3,中部水系为 3.291 亿 m^3,西部水系为 8.131 亿 m^3,分别占总量的 65.5%、9.9% 和 24.6%。现状年黑河流域地下水资源量为 30.853 亿 m^3。按行政分区,青海省为 6.347 亿 m^3,甘肃省为 22.530 亿 m^3,内蒙古自治区为 1.976 亿 m^3,分别占总量的 20.6%、73.0% 和 6.4%。按流域分区,东部水系为 20.216 亿 m^3,中部水系为 2.951 亿 m^3,西部水系为 7.686 亿 m^3,分别占总量的 65.5%、9.6% 和 24.9%。

黑河流域多年平均非重复地下水资源量为 3.832 亿 m^3。按流域分区,东部水系为 2.958 亿 m^3,中部水系为 0.183 亿 m^3,西部水系为 0.691 亿 m^3,分别占总量的 77.2%、4.8% 和 18.0%。按行政分区,甘肃省为 2.362 亿 m^3,内蒙古自治区为 1.470 亿 m^3,分别占总量的 61.6% 和 38.4%。现状年黑河流域地下水资源量为 4.004 亿 m^3。按流域分区,东部水系为 3.041 亿 m^3,中部水系为 0.183 亿 m^3,西部水系为 0.780 亿 m^3,分别占总量的 75.9%、4.6% 和 19.5%。按行政分区,甘肃省为 2.534 亿 m^3,内蒙古自治区为 1.470 亿 m^3,分别占总量的 63.3% 和 36.7%。

从非重复地下水资源量占地下水资源量的比例来看,多年平均占 11.6%,现状年占 13.0%。现状年的比例高于多年平均,这是由于 1995 年的降水量高于多年平均降水量所致。另外,本次计算的非重复地下水资源量大于以往的计算值,这是因为本次计算考虑了巴丹吉林沙漠对流域地下水的补给和走廊北山以及下游马鬃山、额济纳旗北部山地的侧向补给。这一部分补给主要发生在流域边缘地区,距离人类活动的绿洲区域较远,因此,在进行水资源利用与分配研究时,可以考虑从地下水资源中扣除。

四、地下水可开采量

按规定,平原区地下水可开采量为总补给量扣除不可夺取蒸发量、不可夺取侧向径流量之和;山丘区可开采量为规划水源地开采量与 1995 年实际开采量之和。本次计算中的不可夺取蒸发量采用 1995 年防风固沙林草的自然消耗量,即非灌溉林草在生长过程中消耗地下水的水量;不可夺取侧向径流量采用多年平均实际开采量、侧向径流排泄量与溢出带或泉水流出量之和,这些不可夺取量是在人类活动下,维持当前生态平衡中必需的水量,不能作为可开采量。

经计算,黑河流域地下水资源的可开采量为 9.175 亿 m^3。按流域分区,东部水系为 3.338 亿 m^3,中部水系为 0.447 亿 m^3,西部水系为 5.390 亿 m^3。按行政分区,青海省为 0.020 亿 m^3,甘肃省为 8.659 亿 m^3,内蒙古自治区为 0.496 亿 m^3。详见表 4-32、表 4-33。

第五章 水资源总量

一、水资源总量的计算方法

就一个区域而言,通常将该区域的地表水资源量与地下水资源量直接相加,扣除其间相互重复计算量作为该区水资源总量。

即
$$W_总 = R + Q - D \qquad (5-1)$$

式中:$W_总$——水资源总量,亿 m^3;

R——地表水资源量,亿 m^3;

Q——地下水资源量,亿 m^3;

D——地表水与地下水资源间重复计算量,亿 m^3。

由于人类活动的影响,使原本天然状态下地表水与地下水资源量间转化关系更加复杂,尤其位于内陆腹地干旱少雨的黑河流域更是如此。定量确定二者之间的转化关系,必须从地表水资源和地下水资源各量项的计算方法着手进行分析,然后逐项确定是否重复计算量。

黑河流域地表水资源来源于祁连山区,河西走廊和阿拉善高原径流深均少于 5mm,按不产流计算。因此,凡引用祁连山区的地表水资源(即河川径流)作补给的地下水,均应作为重复计算量。

即
$$D = Rg + Q_{地表补}(1 - K) \qquad (5-2)$$

式中:Rg——祁连山区河川径流中的河川基流;

$Q_{地表补}$——河西走廊及阿拉善高原引用河川径流的补给量;

K——河川基流与河川径流量的比值。

由此可见,黑河流域的水资源总量,实质上就是地表水资源量、平原(高原)区的降水与凝结水入渗补给量和山前侧向排泄量(含河床潜流)之和。

二、水资源总量计算成果

根据上节叙述的水资源总量的计算方法和前面章节中多年平均和现状年(1995年)地表、地下水资源分析成果,按流域分区和行政分区分别扣除重复计算量后,汇总得出黑河流域各分区的水资源总量。详见表 5-1、表 5-2、表 5-3、表 5-4。

黑河流域多年平均水资源总量为 41.107 亿 m^3(如扣除流域外补给的 1.289 亿 m^3 地下水资源量,则自产总资源量 39.818 亿 m^3),其中,地表水资源量 37.275 亿 m^3,地下水资源量(指矿化度<2g/L,下同)33.125 亿 m^3,与地表水不重复的地下水资源量 3.832 亿 m^3;产水模数 3.1 万 m^3/(km^2·a),产水系数 0.24。

表 5-1　黑河流域流域分区多年平均水资源总量计算成果　　　　　（地下水矿化度＜2g/L　水量单位：亿 m³）

地貌类型	分区名称	面积(km²)(1)	地表水资源量(2)	地下水资源量 山丘(3)	地下水资源量 平原(4)	地下水资源量 合计(5)	与地表水不重复的地下水资源量 山丘(6)	与地表水不重复的地下水资源量 平原(7)	与地表水不重复的地下水资源量 合计(8)	水资源总量 山丘(9)=(2)+(6)	水资源总量 平原(10)=(7)	水资源总量 合计(11)=(2)+(8)	降水量(12)	产水模数万m³/(km²·a)(13)=(11)/(1)	产水系数(14)=(11)/(12)
山区	东部海北山区	7 138.2	12.743	4.942		4.942				12.743		12.743	26.3	17.9	0.48
山区	东部张掖山区	9 721.3	12.325	4.364		4.364	0.786		0.786	13.111		13.111	31.2	13.5	0.42
山区	东部山区	16 859.5	25.068	9.306		9.306	0.786		0.786	25.854		25.854	57.5	15.3	0.45
平原	东部张掖走廊	15 600.7	0.653	0.099	8.987	9.086	0.099	0.485	0.584	0.752	0.485	1.237	30.2	0.79	0.04
平原	东部酒泉鼎新	7 764.7			0.648	0.648		0.118	0.118		0.118	0.118	4.4	0.15	0.03
平原	东部平原	23 365.4	0.653	0.099	9.635	9.734	0.099	0.603	0.702	0.752	0.603	1.355	34.6	0.58	0.04
高原	东部额济纳	62 201.6		0.035	2.628	2.663	0.035	1.435	1.470	0.035	1.435	1.470	29.4	0.03	0.01
高原	东部高原	62 201.6		0.035	2.628	2.663	0.035	1.435	1.470	0.035	1.435	1.470	29.4	0.03	0.01
	黑河东部	102 426.5	25.721	9.440	12.263	21.703	0.920	2.038	2.958	26.641	2.038	28.679	121.5	2.67	0.23

续表 5-1

流域	水系	地貌类型	分区名称	面积(km²)(1)	地表水资源量(2)	地下水资源量 山丘(3)	地下水资源量 平原(4)	地下水资源量 合计(5)	与地表水不重复的地下水资源量 山丘(6)	与地表水不重复的地下水资源量 平原(7)	与地表水不重复的地下水资源量 合计(8)	水资源总量 山丘(9)=(2)+(6)	水资源总量 平原(10)=(7)	水资源总量 合计(11)=(2)+(8)	降水量(12)	产水模数 万m³/(km²·a)(13)=(11)/(1)	产水系数(14)=(11)/(12)
黑河流域	中部	山区	中部张掖山区	1 599.7	2.761	1.486		1.486	0.183		0.183	2.944		2.944	6.2	18.4	0.47
			中部 山 区	1 599.7	2.761	1.486		1.486	0.183		0.183	2.944		2.944	6.2	18.4	0.47
		平原	中部明花盐池	1 995.3			0.289	0.289							2.3		
			中部酒泉清金	1 306.5			1.516	1.516							2.1		
			中部 平 原	3 301.8			1.805	1.805							4.4		
			黑河中部	4 901.5	2.761	1.486	1.805	3.291	0.183		0.183	2.944		2.944	10.6	6.01	0.28
	西部	山区	西部海北山区	2 649.6	2.495	1.915		1.915				2.495		2.495	7.8	9.42	0.32
			西部张掖山区	6 920.7	6.298	3.045		3.045	0.280		0.280	6.578		6.578	15.1	9.50	0.44
			西部 山 区	9 570.3	8.793	4.960		4.960	0.280		0.280	9.073		9.073	22.9	9.48	0.40
		平原	西部酒泉走廊	9 909.3		0.018	2.721	2.739	0.018	0.383	0.401	0.018	0.383	0.401	7.3	0.40	0.05
			西部嘉峪关	1 475.8			0.432	0.432		0.010	0.010		0.010	0.010	2.0	0.07	0.01
			西部 平 原	11 385.1		0.018	3.153	3.171	0.018	0.393	0.411	0.018	0.393	0.411	9.3	0.36	0.04
			黑河西部	20 955.4	8.793	4.978	3.153	8.131	0.298	0.393	0.691	9.091	0.393	9.484	32.2	4.53	0.29
			黑河流域	128 283.4	37.275	15.904	17.221	33.125	1.401	2.431	3.832	38.676	2.431	41.107	164.2	3.10	0.24

注 东部额济纳水资源总量中包含外流域补给地下水量 1.289 亿 m³，计算产水模数及产水系数时应扣除。

表 5-2　　　　　黑河流域行政分区多年平均水资源总量计算成果

（地下水矿化度＜2g/L　水量单位:亿 m³）

行政分区	面积（km²）(1)	地表水资源量(2)	地下水资源量			与地表水不重复的地下水资源量		
			山丘(3)	平原(4)	合计(5)	山丘(6)	平原(7)	合计(8)
海 北 州	9 787.8	15.238	6.857		6.857			
青 海 省	9 787.8	15.238	6.857		6.857			
张 掖 地 区	35 837.7	22.037	8.994	9.276	18.270	1.348	0.485	1.833
酒 泉 地 区	18 980.5		0.018	4.885	4.903	0.018	0.501	0.519
嘉 峪 关 市	1 475.8			0.432	0.432		0.010	0.010
甘 肃 省	56 294.0	22.037	9.012	14.593	23.605	1.366	0.996	2.362
阿 拉 善 盟	62 201.6		0.035	2.628	2.663	0.035	1.435	1.470
内蒙古自治区	62 201.6		0.035	2.628	2.663	0.035	1.435	1.470
黑 河 流 域	128 283.4	37.275	15.904	17.221	33.125	1.401	2.431	3.832

行政分区	水资源总量			降水量(12)	产水模数 万 m³/(km²·a)(13)=(11)/(1)	产水系数(14)=(11)/(12)
	山丘(9)=(2)+(6)	平原(10)=(7)	合计(11)=(2)+(8)			
海 北 州	15.238		15.238	34.1	15.6	0.45
青 海 省	15.238		15.238	34.1	15.6	0.45
张 掖 地 区	23.385	0.485	23.870	84.9	6.66	0.28
酒 泉 地 区	0.018	0.501	0.519	13.9	0.27	0.04
嘉 峪 关 市		0.010	0.010	2.0	0.07	0.01
甘 肃 省	23.403	0.996	24.399	100.8	4.33	0.24
阿 拉 善 盟	0.035	1.435	1.470	29.4	0.03	0.01
内蒙古自治区	0.035	1.435	1.470	29.4	0.03	0.01
黑 河 流 域	38.676	2.431	41.107	164.2	3.10	0.24

注　阿拉善盟水资源总量中包含外流域补给地下水量 1.289 亿 m³,计算产水模数及产水系数时应予扣除。

表 5-3　1995 年黑河流域流域分区多年平均水资源总量计算成果　（地下水矿化度＜2g／L　水量单位：亿 m³）

水系	地貌类型	分区名称	面积(km²)(1)	地表水资源量(2)	地下水资源量 山丘(3)	平原(4)	合计(5)	与地表水不重复的地下水资源量 山丘(6)	平原(7)	合计(8)	水资源总量 山丘(9)=(2)+(6)	平原(10)=(7)	合计(11)=(2)+(8)	降水量(12)	产水模数 万m³/(km²·a) (13)=(11)/(1)	产水系数 (14)=(11)/(12)
黑河东部流域	山区	东部海北山区	7 138.2	11.666	4.524		4.524				11.666		11.666	26.7	16.3	0.44
		东部张掖山区	9 721.3	11.557	4.146		4.146	0.786		0.786	12.343		12.343	31.6	12.7	0.39
		东部 山 区	16 859.5	23.223	8.670		8.670	0.786		0.786	24.009		24.009	58.3	14.2	0.41
	平原	东部山丹走廊	3 698.3	0.563	0.099	0.408	0.507	0.099	0.043	0.142	0.662	0.043	0.705	10.4	1.91	0.07
		东部民乐走廊	1 929.1			1.442	1.442							6.0		
		东部张掖走廊	3 658.0			3.656	3.656		0.061	0.061		0.061	0.061	5.7	0.17	0.01
		东部临泽走廊	2 733.1			2.083	2.083		0.170	0.170		0.170	0.170	3.6	0.62	0.05
		东部高台走廊	3 582.2			1.306	1.306		0.294	0.294		0.294	0.294	5.4	0.82	0.05
		东部酒泉鼎新	7 764.7			0.576	0.576		0.118	0.118		0.118	0.118	5.6	0.15	0.02
		东部 平 原	23 365.4	0.563	0.099	9.471	9.570	0.099	0.686	0.785	0.662	0.686	1.348	36.7	0.58	0.04
	高原	东部额济纳	62 201.6		0.035	1.941	1.976	0.035	1.435	1.470	0.035	1.435	1.470	49.0	0.03	
		东部 高 原	62 201.6		0.035	1.941	1.976	0.035	1.435	1.470	0.035	1.435	1.470	49.0	0.03	
		黑河 东 部	102 426.5	23.786	8.804	11.412	20.216	0.920	2.121	3.041	24.706	2.121	26.827	144.0	2.49	0.18

续表 5-3

流域	水系	地貌类型	分区名称	面积(km²)(1)	地表水资源量(2)	地下水资源量 山丘(3)	平原(4)	合计(5)	与地表水不重复的地下水资源量 山丘(6)	平原(7)	合计(8)	水资源总量 山丘(9)=(2)+(6)	平原(10)=(7)	合计(11)=(2)+(8)	降水量(12)	产水模数 万m³/(km²·a)(13)=(11)/(1)	产水系数(14)=(11)/(12)
黑河	中部	山区	中部张掖山区	1 599.7	2.491	1.376		1.376	0.183		0.183	2.674		2.674	7.0	16.7	0.38
			中部山区	1 599.7	2.491	1.376		1.376	0.183		0.183	2.674		2.674	7.0	16.7	0.38
		平原	中部明花盐池	1 995.3			0.198	0.198							2.6		
			中部酒泉清金	1 306.5			1.377	1.377							2.4		
			中部平原	3 301.8			1.575	1.575							5.0		
			黑河中部	4 901.5	2.491	1.376	1.575	2.951	0.183		0.183	2.674		2.674	12.0	5.45	0.22
	西部	山区	西部海北山区	2 649.6	2.375	1.823		1.823				2.375		2.375	7.0	8.96	0.34
			西部张掖山区	6 920.7	5.903	2.856		2.856	0.280		0.280	6.183		6.183	12.5	8.93	0.49
			西部山区	9 570.3	8.278	4.679		4.679	0.280		0.280	8.558		8.558	19.5	8.94	0.44
		平原	西部酒泉走廊	2 102.0			2.239	2.239		0.350	0.350		0.350	0.350	3.3	1.67	0.11
			西部金塔鼎新	7 807.3		0.018	0.357	0.375	0.018	0.132	0.150		0.132	0.150	5.6	0.19	0.03
			西部嘉峪关	1 475.8			0.393	0.393							2.2		
			西部平原	11 385.1		0.018	2.989	3.007	0.018	0.482	0.500	0.018	0.482	0.500	11.1	0.44	0.05
			黑河西部	20 955.4	8.278	4.697	2.989	7.686	0.298	0.482	0.780	8.576	0.482	9.058	30.6	4.32	0.30
			黑河流域	128 283.4	34.555	14.877	15.776	30.853	1.401	2.603	4.004	35.956	2.603	38.559	186.6	2.91	0.20

注 东部额济纳水资源总量中包含外流域补给地下水量 1.289 亿 m³，计算产水模数及产水系数时应予扣除。

表 5-4   **1995 年黑河流域行政分区水资源总量计算成果**

（地下水矿化度＜2g /L　水量单位：亿 m³）

行政分区	面 积 （km²） （1）	地表水 资源量 （2）	地下水资源量			与地表水不重复 的地下水资源量		
			山 丘 （3）	平 原 （4）	合 计 （5）	山 丘 （6）	平 原 （7）	合 计 （8）
海 北 州	9 787.8	14.041	6.347		6.347			
青 海 省	9 787.8	14.041	6.347		6.347			
张 掖 地 区	35 837.7	20.514	8.477	9.093	17.570	1.348	0.568	1.916
酒 泉 地 区	18 980.5	0.018		4.549	4.567	0.018	0.600	0.618
嘉 峪 关 市	1 475.8			0.393	0.393			
甘 肃 省	56 294.0	20.514	8.495	14.035	22.530	1.366	1.168	2.534
阿 拉 善 盟	62 201.6		0.035	1.941	1.976	0.035	1.435	1.470
内蒙古自治区	62 201.6		0.035	1.941	1.976	0.035	1.435	1.470
黑 河 流 域	128 283.4	34.555	14.877	15.976	30.853	1.401	2.603	4.004

行政分区	水资源总量			降水量 （12）	产水模数 万 m³/（km²·a） （13）＝（11）/（1）	产水系数 （14）＝（11）/（12）
	山 丘 （9）＝ （2）+（6）	平 原 （10）＝（7）	合 计 （11）＝ （2）+（8）			
海 北 州	14.041		14.041	33.7	14.3	0.42
青 海 省	14.041		14.041	33.7	14.3	0.42
张 掖 地 区	21.862	0.568	22.430	84.8	6.26	0.26
酒 泉 地 区	0.018	0.600	0.618	16.9	0.33	0.04
嘉 峪 关 市				2.2		
甘 肃 省	21.880	1.168	23.048	103.9	4.09	0.22
阿 拉 善 盟	0.035	1.435	1.470	49.0		0.03
内蒙古自治区	0.035	1.435	1.470	49.0		0.03
黑 河 流 域	35.956	2.603	38.559	186.6	2.91	0.20

注　阿拉善盟水资源总量中包含外流域补给地下水量 1.289 亿 m³，计算产水模数及产水系数时应予扣除。

按流域分区计算,东部水系总资源量 28.679 亿 m³,其中,地表水资源量为 25.721 亿 m³,地下水资源量 21.703 亿 m³,与地表水不重复的地下水资源量 2.958 亿 m³;产水模数 2.67 万 m³/(km²·a),产水系数 0.23。中部水系总资源量 2.944 亿 m³,其中,地表水资源量为 2.761 亿 m³,地下水资源量 3.291 亿 m³,与地表水不重复的地下水资源量 0.183 亿 m³;产水模数 6.01 万 m³/(km²·a),产水系数 0.28。西部水系总资源量 9.484 亿 m³,其中,地表水资源量为 8.793 亿 m³,地下水资源量 8.131 亿 m³,与地表水不重复的地下水资源量 0.691 亿 m³;产水模数 4.53 万 m³/(km²·a),产水系数 0.29。

按行政分区,青海省总资源量 15.238 亿 m³,其中,地表水资源量为 15.238 亿 m³,地下水资源量 6.857 亿 m³,全部为重复量;产水模数 15.6 万 m³/(km²·a),产水系数 0.45。甘肃省总资源量 24.399 亿 m³,其中,地表水资源量为 22.037 亿 m³,地下水资源量 23.605 亿 m³,与地表水不重复的地下水资源量 2.362 亿 m³;产水模数 4.33 万 m³/(km²·a),产水系数 0.24。内蒙古自治区总资源量 1.47 亿 m³,全部为地下水资源,自产总资源量 0.181 亿 m³;地下水资源量为 2.663 亿 m³,自产地下水资源量 1.374 亿 m³,与地表水不重复的地下水资源量 1.47 亿 m³;总资源量的产水模数为 0.03 万 m³/(km²·a),产水系数 0.01。

黑河流流 1995 年水资源总量 38.559 亿 m³,其中,地表水资源量为 34.555 亿 m³,地下水资源量 30.853 亿 m³,与地表水不重复的地下水资源量 4.004 亿 m³;产水模数 2.91 万 m³/(km²·a),产水系数 0.2。

按流域分区,东部水系总资源量 26.827 亿 m³,其中,地表水资源量为 23.786 亿 m³,地下水资源量 20.216 亿 m³,与地表水不重复的地下水资源量 3.041 亿 m³;产水模数 2.49 万 m³/(km²·a),产水系数 0.18。中部水系总资源量 2.674 亿 m³,其中地表水资源量为 2.491 亿 m³,地下水资源量 2.951 亿 m³,与地表水不重复的地下水资源量 0.183 亿 m³;产水模数 5.45 万 m³/(km²·a),产水系数 0.22。西部水系总资源量 9.058 亿 m³,其中,地表水资源量为 8.278 亿 m³,地下水资源量 7.686 亿 m³,与地表水不重复的地下水资源量 0.780 亿 m³;产水模数 4.32 万 m³/(km²·a),产水系数 0.30。

按行政分区,青海省总资源量 14.041 亿 m³,全部为地表水资源;产水模数 14.3 万 m³/(km²·a),产水系数 0.42。甘肃省总资源量 23.048 亿 m³,其中,地表水资源量为 20.514 亿 m³,地下水资源量 22.530 亿 m³,与地表水不重复的地下水资源量 2.534 亿 m³;产水模数 4.09 万 m³/(km²·a),产水系数 0.22。内蒙古总资源量 1.47 亿 m³,全部为地下水资源,产水模数为 0.03 万 m³/(km²·a),产水系数为 0。

第六章　现状水质

一、泥　沙

1.1　基本简况

全流域选用泥沙站有冰沟、新地、梨园堡、扎马什克、祁连、莺落峡、正义峡,共 7 站,有实测资料 248 站年,采用月径流量与月输沙量相关插补输沙量资料 32 站年,再用插补输沙量除以相应的径流量,延长含沙量资料 32 站年。

1.2　多年平均泥沙

祁连山地深山区多为石质山,而且植被较好,高山区有冰雪覆盖,中山区有灌丛和森林,只有浅山区表面覆盖土层,植被较差。总的特点是输沙量少,含沙量低,地区分布均匀。以祁连、扎马什克为代表的祁连山深山区,平均年输沙量分别为 45 万 t 和 96 万 t,年输沙模数为 $182t/km^2$ 和 $210t/km^2$;以冰沟、新地为代表的西部山口站,平均年输沙量为 65 万 t 和 60 万 t,年输沙模数为 $94t/km^2$ 和 $380t/km^2$;以莺落峡、梨园堡为代表的东部山口站,平均年输沙量为 220 万 t 和 38 万 t,年输沙模数为 $220t/km^2$ 和 $168t/km^2$;以正义峡为代表的下游河流,平均年输沙量为 170 万 t,年输沙模数为 $48t/km^2$。上述莺落峡、梨园堡、新地、冰沟四站控制流域面积 20 713km^2,占祁连山区面积 32 442km^2 的 64%,只有 11 729km^2 面积未控制。如未控面积按上述四站平均年输沙模数 $185t/km^2$ 计算,年输沙量为 217 万 t,则黑河流域年输沙总量为 600 万 t。黑河流域输沙模数地区分布详见图 6-1。

输沙量的年内分配很不均匀,它与径流量的多少特别是洪水的大小密切相关:1～4 月和 10～12 月,地表汇流基本停止,而主要为地下水补给径流,所以 7 个月内基本上无沙;5 月和 9 月输沙量也少,只占年输沙量的 12.8%;输沙量主要集中在 6～8 月,占年输沙量的 85.9%。

综上所述,祁连山区河流的含沙量较小,多年平均含沙量在 $1\sim2.4kg/m^3$ 之间,以洪水河新地站 $2.4kg/m^3$ 最大。含沙量月分配与输沙量的月分配特点相同,1～4 月和 10～12 月含沙量为 $0.03kg/m^3$ 左右,5 月和 9 月为 $0.6\sim0.9kg/m^3$,6～8 月为 $1.5\sim3kg/m^3$。

1.3　现状年(1995 年)泥沙

1995 年全流域输沙量 1 050 万 t,为多年平均输沙量的 1.75 倍,年输沙模数为 324 t/km^2。年输沙量的地区分布,东部大,西部小,以年输沙模数比较,莺落峡为 293t/km^2,梨园堡为 73.7t/km^2,冰沟为 51t/km^2,最大值仍为洪水河的新地,其值为 461t/km^2。输沙

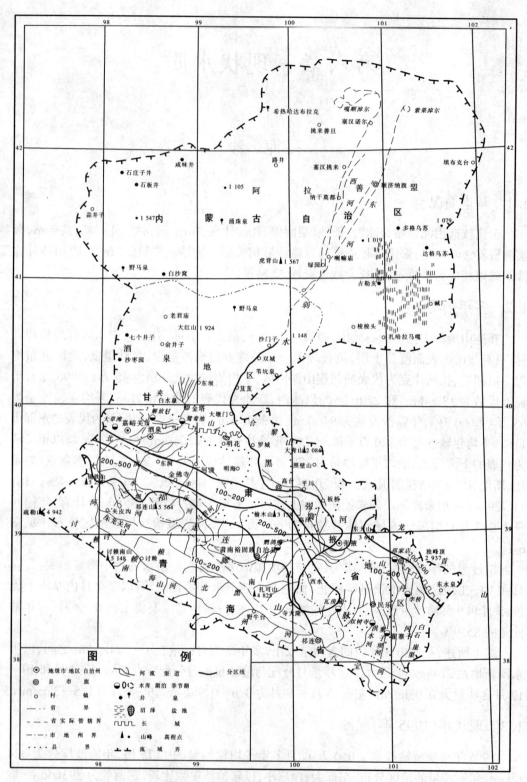

图 6-1 黑河流域多年平均输沙模数图

量月分配比例与多年平均相似,以莺落峡站为例,1～4月和10～12月输沙量为0.01万t,5月和9月输沙量为109万t,占年量的37.2%,6～8月输沙量为184万t,占年量的63.0%。

1995年全流域含沙量在0.585～3.466kg/m³之间。其中,莺落峡为1.619kg/m³,祁连为1.127kg/m³,扎马什克为2.577kg/m³,梨园堡为0.943kg/m³,新地为3.466kg/m³,冰沟为0.585kg/m³,正义峡为1.873kg/m³。含沙量年内分配同输沙量的年内分配。选用站泥沙特征值,列于表6-1。

表6-1 **黑河流域主要河流选用站泥沙特征值**

河 名	站 名	集水面积 (km²)	年 份	输沙量 (万t)	含沙量 (kg/m³)	输沙模数 (t/(km²·a))
讨赖河	冰 沟	6 883	多年平均 1995	64.8 35.3	1.039 0.585	94.1 51.3
洪水河	新 地	1 581	多年平均 1995	60.1 72.9	2.396 3.466	380 461
梨园堡	梨园堡	2 240	多年平均 1995	37.7 16.5	1.507 0.943	168 73.7
黑 河	扎马什克	4 589	多年平均 1995	96.2 179	1.351 2.577	210 390
八宝河	祁 连	2 452	多年平均 1995	44.7 49.4	1.025 1.127	182 204
黑 河	莺落峡	10 009	多年平均 1995	220 293	1.366 1.619	220 293
黑 河	正义峡	35 634	多年平均 1995	170 136	1.639 1.873	47.7 38.2

二、河流水化学

河流天然水化学分析,采用了12站198站年资料,用多年平均值表示。

黑河流域河流水化学特征呈明显的地带性规律,主要受气候、水文、地质、环境条件和人类活动等因素的影响。矿化度的分布趋势,由南部(祁连山区)向北部增加。祁连山区降水较丰沛,径流深较大,离子总量在340mg/L左右,属于中等矿化度,为全流域的低值区;走廊平原区离子总量为600mg/L左右,属较高矿化度;北部额济纳旗离子总量达到500～800mg/L,枯季有时高达1 000mg/L,属高矿化度,为全流域的高值区。水的总硬度分布趋势大体与矿化度相同,南部在70～100mg/L之间,属于适度硬水;走廊盆地一般在150～200mg/L之间,属于硬水区;北部额济纳旗大于200mg/L,属极硬水区。pH值全流域为8左右,属于弱碱性水;年离子径流模数全流域平均为43.5t/km²,年离子径流量约120万t。

水的化学类型除讨赖河为硫酸盐类Mg组Ⅱ型(即$S_Ⅱ^{Mg}$)外,其余各河均为重碳酸盐类Ca组Ⅱ型水(即$C_Ⅱ^{Ca}$)。黑河流域主要河流多年平均水化学指标统计见表6-2。

表 6-2　　　　　　黑河流域主要河流多年平均年水化学指标

河　名	站　名	集水面积（km²）	年径流量（亿 m³）	矿化度（mg/L）	离子径流量（万 t）	离子径流模数（t/km²）	总硬度（mg/L）	pH	水化学类型
黑　河	扎马什克	4 589	7.102	324	23.0	50.1	104.0	7.9	C_{II}^{ca}
黑　河	莺落峡	10 009	15.902	338	53.7	53.7	106.0	8.1	C_{II}^{ca}
黑　河	正义峡	35 634	10.360	606	62.8	17.6	162.0	8.0	C_{II}^{Mg}
八宝河	祁　连	2 452	4.363	370	16.1	65.8	116.0	7.8	C_{II}^{ca}
洪水河	双树寺	578	1.168	312	3.65	63.2	93.6	7.9	C_{II}^{ca}
大渚马河	瓦房城	217	0.859	259	2.22	102.5	86.4	7.9	C_{II}^{ca}
梨园河	梨园堡	2 240	2.137	337	7.20	32.2	89.0	7.1	C_{II}^{ca}
讨赖河	冰　沟	6 883	6.234	346	21.6	31.3	116.0	8.0	C_{II}^{ca}
讨赖河	嘉峪关	7 095	4.686	329	15.4	21.7	111.0	8.2	C_{II}^{ca}
讨赖河	鸳鸯池水库	12 439	3.182	624	19.9	16.0	205.0	8.1	S_{II}^{Mg}
洪水河	新　地	1 581	2.510	240	6.02	38.1	77.2	7.9	C_{II}^{ca}
丰乐河	丰乐河	568	0.950	369	3.51	61.7	125.0	8.0	C_{II}^{ca}

三、水污染现状

3.1　废污水排放量

　　1995 年全流域废污水排放总量 8334 万 t。其中，工业废水占 89.0%，生活污水占 11.0%。排污量最大的是张掖、酒泉、嘉峪关市三个地区（城市），其次是山丹、高台、临泽、金塔等县城。上游祁连山区和下游额济纳旗地区工业和生活用水量少，废污水排放量也少，可忽略不计。黑河流域各分区 1995 年废污水排放情况，详见表 6-3、表 6-4。

3.2　河流污染简况

　　根据 1995 年水质监测资料和地表水分级标准，对讨赖河、洪水河、梨园河、黑河、山丹马营河共 897km 河段进行水质评价，结果显示，枯水期一至三类水共 808km，占评价河长的 90%，四类水 89km，占 10%；丰水期一至三类水共 878km，占评价河长的 97.9%，四类水占 2.1%，说明河流水质总体状况较好，特别是祁连山区为优质淡水。尽管四类水枯水期和丰水期只有 59km 和 19km，但呈增长趋势，而且分布在城市附近和中游的人口密集区，使水资源的质量受到严重影响。耗氧量浓度范围 4～7.36mg/L，黑河干流为7.36mg/L，超标 1 倍，鸳鸯池水库为 4.08mg/L；若以地级行政区平均计算，张掖地区为1.36mg/L，酒泉地区和嘉峪关市为 4.08mg/L 氨氮；讨赖河为 0.36mg/L，黑河干流0.82mg/L，超标 1 倍左右，挥发酚 0.005mg/L 左右，石油类 0.039mg/L；除有机污染外，讨赖河铜和铅的污染较重，铅为 0.023mg/L，铜为 0.007mg/L。目前黑河流域中下游水质处于轻度污染状况。

表 6-3 　　　　　　　　　1995 年黑河流域流域分区废污水排放量 　　　　（单位:万 t）

流　域	水　系	地　貌	分区名称	工　业	生　活	其　他	合　计
黑　河	东　部	山　区	东部海北山区	92	14		106
			东部张掖山区	38	12		50
			东　部　山　区	130	26		156
		平　原	东部张掖走廊	2 756	249		3 005
			东部酒泉鼎新	53	6		59
			东　部　平　原	2 809	255		3 064
		高　原	东部额济纳	51	16		67
			东　部　高　原	51	16		67
			黑河东部	2 990	297		3 287
	中　部	山　区	中部张掖山区				
			中　部　山　区				
		平　原	中部明花盐池				
			中部酒泉清金	158	3		161
			中　部　平　原	158	3		161
			黑河中部	158	3		161
	西　部	山　区	西部海北山区				
			西部张掖山区				
			西　部　山　区				
		平　原	西部酒泉走廊	990	149		1 139
			西部嘉峪关	3 277	470		3 747
			西　部　平　原	4 267	619		4 886
			黑河西部	4 267	619		4 886
			黑河流域	7 415	919		8 334

表 6-4　　　　　　　　　1995 年黑河流域行政分区废污水排放量　　　（单位：万 t）

流域	省区	地级	分区名称	工 业	生 活	其 他	合 计
黑河	青海	海北	东部海北山区	92	14		106
			西部海北山区				
			海 北 州	92	14		106
			青 海 省	92	14		
	甘肃	张掖	东部张掖山区	38	12		50
			东部张掖走廊	2 756	249		3 005
			中部张掖山区				
			中部明花盐池				
			西部张掖山区				
			张 掖 地 区	2 794	261		3 055
		酒泉	东部酒泉鼎新	53	6		59
			中部酒泉清金	158	3		161
			西部酒泉走廊	990	149		1 139
			酒 泉 地 区	1 201	158		1 359
		嘉峪关	西部嘉峪关	3 277	470		3 747
			嘉 峪 关 市	3 277	470		3 747
			甘 肃 省	7 272	889		8 161
	内蒙古	阿拉善	东部额济纳	51	16		67
			阿 拉 善 盟	51	16		67
			内蒙古自治区	51	16		67
			黑 河 流 域	7 415	919		8 334

第七章　水资源开发利用与供需分析

一、水资源开发的历史沿革

黑河流域灌溉农业历史悠久,远在汉武帝元狩二年(公元前 121 年),霍去病驻军河西,移民屯田积粮,开渠引水,发展农业灌溉,大约到了太初元年(公元前 104 年),在张掖、酒泉二郡"开田官,斥塞卒六十万人戍田之",其声势是相当浩大的。《史记·河渠》记载"……河西、酒泉皆引河及川谷水以灌田",两汉时期河西的农田水利灌溉工程,在今张掖、酒泉二市境内有千金渠。唐代,黑河水利较前代有了很大发展,张掖修建了盈科、大满、小满、大官、永利、加宫等渠道。陈子昂巡视河西指出:"甘州诸屯,皆因水利,浊河灌溉,良沃不待天时"。郭振元任凉州都督期间,"又会甘州刺史李汉通开置屯田,尽水陆之利"。黑河流域历代灌溉事业的发展,尤以明清两代最为显著。据明清史籍记载,明嘉靖年间巡抚杨博募民屯田,大兴水利,所开挖新旧灌渠,取水于黑河及其支流,清初在原有基础上增修水利工程,灌溉更为发展。山丹县明代水利工程荒废,后经杨博疏浚,荒地尽为良田,清代有大小灌渠 22 条,浇地 8 667hm²(13 万亩);民乐县明代水地 8 667hm²(13 万亩),清代发展到 1 万 hm²(15 万亩),灌渠 21 条;张掖市灌溉条件优越,乾隆时期有渠道 46 条,灌溉面积 29 933hm²(44 万亩);临泽县水源充足,灌溉便利,明代嘉靖、隆庆年间新疏浚和新挖的大渠达 10 余条之多,梨园坝新渠工程,水平达到很高的程度,渠长 7.5km(15 里),凿石成渠,明沟 133m(40 丈),石洞 150m(45 丈),拦水坝二道,渠首有闭水闸、返水闸,引水沟下置四石墩,上搭六凳槽,沿渠低洼处筑凳槽十五。清代乾隆时期有渠 35 条,浇地 11 333hm²(17 万亩);高台县明代灌溉面积 9 333hm²(14 万亩)左右,清雍正时新开不少水田,水渠有 20 余条,浇地近 13 333hm²(20 万亩)。黑河下游在灌溉农业出现之前,在河流两岸和湖泊洼地周围从事游牧活动,汉代开始,兴修甲渠、合即渠,屯田戍边,曾在汉、唐、西夏建立居延—黑城绿洲,于元末明初废弃。

民国时期,黑河流域水利事业也有所发展,1943～1947 年在讨赖河建成鸳鸯池水库,蓄水 1 200 万 m³,1948 年在荒废干流建成马尾湖平原水库,蓄水 380 万 m³,同时在酒泉边湾、山丹头坝开始截引地下水。据 1944 年甘肃省建设厅统计,黑河中游地区已有耕地 165 000hm²(247.5 万亩),其中水浇地 136 133hm²(204.2 万亩),旱地 27 333hm²(41 万亩),人口达 52.3 万。

新中国成立以后,黑河流域水利开发进入了新的发展时期,大致分为三个阶段。

1949～1963 年,属恢复和巩固阶段。中游发展了灌溉事业,合渠并坝,修建了一些中、小型蓄水工程,鸳鸯池水库经过加高,库容达到 6 300 万 m³;1957 年建成祁家店水库,库容 2 200 万 m³;还修建 73 座平原洼地水库和塘坝,库容共 1.24 亿 m³;修建干、支、斗、农渠,总长约 1 万 km;进行小部分渠道衬砌,渠系有效利用系数提高到 0.30 左右。黑河东部干流水系灌溉面积发展到 79 333hm²，引水量发展到 16.8 亿 m³。在此时期，下游增加了东风场区用水户，1962 年建成了河西新湖平原水库，库容 1 700 万 m³。

1964～1975 年，为发展阶段。鸳鸯池水库继续加高加固，增加蓄水量；并建成解放村水库，库容 3 800 万 m³；建成双树寺、酥油口、李家桥等水库和 37 个万亩以上灌区，为建设河西商品粮基地提供了水源。下游地区在这个阶段也扩大了耕地面积，开始修建水闸，调节和控制水利，采用集中轮灌方式，浸润林牧土地，额济纳旗进入灌溉初级阶段。

1976 年以后，黑河流域水利开发进入调整阶段。上游山区水源涵养林的保护得到了重视，农地正在退耕还林、还牧；中游经济发展和绿洲建设，开始产业结构、农林牧结构和作物种植结构的调整。此阶段修建了草滩庄引水枢纽，渠道防渗衬砌达到 30%～50%，渠系利用系数提高到 0.50 左右。

现状全流域地表水资源利用率达到 87.9%，促进了工农业的全面发展。

二、水利工程建设现状

全流域水库工程 98 座，其中大型 1 座、中型 9 座、小型 88 座，总库容 4.57 亿 m³，兴利库容 3.95 亿 m³，现状供水能力 10.47 亿 m³。其中，甘肃省 96 座，总库容 4.46 亿 m³，供水能力 10.27 亿 m³，占全流域供水能力的 98.1%。全流域引水工程 229 处，其中大中型 48 处，小型 181 处，现状供水能力 25.52 亿 m³。其中，甘肃省 135 处，现状供水能力 23.07亿 m³，占全流域供水能力的 90.4%。全流域打井 6 398 眼，现状供水能力 5.05 亿 m³，其中，甘肃省 5 898 眼，现状供水能力 4.94 亿 m³。黑河流域水利工程情况，详见表 7-1、表 7-2、图 7-1。

三、水资源开发利用现状

3.1 现状供水量

全流域现状实际供水量 33.577 亿 m³，其中，地表水供水 30.389 4 亿 m³，占全部供水量的 90.5%，地下水供水 3.187 6 亿 m³，仅占 9.5%。地表水供水中，蓄水工程供水量 8.792 7亿 m³，引水工程供水量 21.485 8亿 m³，提水工程供水量 0.063 3亿 m³。按行政区划分，青海省实际供水量 0.136 8 亿 m³，占流域全部供水量的 0.4%；甘肃省实际供水量 32.108 7 亿 m³，占全部供水量 95.6%；内蒙古自治区实际供水量 1.331 5 亿 m³，占全部供水量的 4.0%，详见表 7-3、表 7-4。

3.2 现状用水量

3.2.1 农业用水

1995 年全流域农、林、牧、副、渔业用水量为 31.748 6 亿 m³，其中，农田灌溉用水 28.969 5亿 m³，占流域全部农业用水量的 91.2%；林、牧、副、渔业用水量为 2.779 1 亿 m³，仅占 8.8%。按行政区划统计，青海省农业用水为 0.095 4 亿 m³，占流域全部农业用水量的 0.3%；甘肃省农业用水为 30.344 7 亿 m³，占 95.6%；内蒙古自治区农业用水为 1.308 5 亿 m³，占 4.1%。

表 7-1　　　　　　　　1995 年黑河流域流域分区水利建设情况　　　　（单位：亿 m³）

流域分区		蓄水工程								
编　号	名　称	数　量（座）	其　中				总库容	兴利库容	设计供水能力	现状供水能力
			大　型	中　型	小一型	小二型				
$X_{7102110}$	东部海北山区									
$X_{7102120}$	东部张掖山区	1				1	0.001 8	0.001 6	0.005 7	0.005 7
	东部山区	1				1	0.001 8	0.001 6	0.005 7	0.005 7
$X_{7102131}$	东部山丹走廊	7		2	3	2	0.414 4	0.377 9	1.850 7	0.888 8
$X_{7102132}$	东部民乐走廊	6		3		3	0.629 7	0.558 7	2.513 1	2.516 6
$X_{7102133}$	东部张掖走廊	5			3	2	0.118 2	0.107 1	0.492 7	0.374 5
$X_{7102134}$	东部临泽走廊	6		1	1	4	0.294 5	0.250 3	1.085 5	0.791 0
$X_{7102135}$	东部高台走廊	19			10	9	0.376 6	0.341 3	1.570 0	1.193 1
$X_{7102140}$	东部酒泉鼎新	10			6	4	0.280 3	0.265 0	0.488 8	0.468 0
	东部平原	53		6	23	24	2.113 7	1.900 3	8.019 0	6.232 0
$X_{7102150}$	东部额济纳	2		1		1	0.104	0.100 0	0.200 0	0.200 0
	东部高原	2		1		1	0.104	0.100 0	0.200 0	0.200 0
$X_{7102100}$	黑河东部	56		7	23	26	2.219 5	2.001 9	8.226 5	6.437 7
$X_{7102210}$	中部张掖山区									
	中部山区									
$X_{7102230}$	中部明花盐池									
$X_{7102220}$	中部酒泉清金	1				1	0.005 1	0.004 8	0.008 9	0.008 5
	中部平原	1				1	0.005 1	0.004 8	0.008 9	0.008 5
$X_{7102200}$	黑河中部	1				1	0.005 1	0.004 8	0.008 9	0.008 5
$X_{7102310}$	西部海北山区									
$X_{7102320}$	西部张掖山区									
	西部山区									
$X_{7102331}$	西部酒泉	36			7	29	0.182 7	0.172 8	0.318 7	0.305 1
$X_{7102332}$	西部金塔鸳鸯	3	1	1	1		1.518 5	1.176 5	3.238 9	3.119 6
$X_{7102340}$	西部嘉峪关	2		1		1	0.641 5	0.591 5	0.600 0	0.600 0
	西部平原	41	1	2	8	30	2.342 7	1.940 8	4.157 6	4.024 7
X_{710230}	黑河西部	41	1	2	8	30	2.342 7	1.940 8	4.157 6	4.024 7
X_{7102}	黑河流域	98	1	9	31	57	4.567 3	3.947 5	12.393 0	10.470 9

流域分区		引水工程				
编 号	名 称	数 量（处）	其 中		设计供水能力	现状供水能力
			大中型	小 型		
X$_{7102110}$	东部海北山区	25		25	0.147 0	0.147 0
X$_{7102120}$	东部张掖山区	16		16	0.351 4	0.331 9
	东部山区	41		41	0.498 4	0.478 9
X$_{7102131}$	东部山丹走廊	27	6	21	0.656 7	0.656 7
X$_{7102132}$	东部民乐走廊	8	5	3	1.276 5	1.205 7
X$_{7102133}$	东部张掖走廊	18	9	9	9.659 1	9.123 7
X$_{7102134}$	东部临泽走廊	15	10	5	2.124 1	2.006 4
X$_{7102135}$	东部高台走廊	20	6	14	2.018 1	1.906 2
X$_{7102140}$	东部酒泉鼎新	2		2	0.465 2	0.465 2
	东部平原	90	36	54	16.199 7	15.363 9
X$_{7102150}$	东部额济纳	69		69	2.300 0	2.300 0
	东部高原	69		69	2.300 0	2.300 0
X$_{7102100}$	黑河东部	200	36	164	18.998 1	18.142 8
X$_{7102210}$	中部张掖山区				0.000 2	0.000 2
	中部山区				0.000 2	0.000 2
X$_{7102230}$	中部明花盐池				0.500 0	0.500 0
X$_{7102220}$	中部酒泉清金	10	5	5	2.324 4	2.195 5
	中部平原	10	5	5	2.824 4	2.695 5
X$_{7102200}$	黑河中部	10	5	5	2.824 6	2.695 7
X$_{7102310}$	西部海北山区					
X$_{7102320}$	西部张掖山区				0.000 2	0.000 2
	西部山区				0.000 2	0.000 2
X$_{7102331}$	西部酒泉	12	5	7	3.680 3	3.476 4
X$_{7102332}$	西部金塔鸳鸯	5	2	3	0.600 0	0.600 0
X$_{7102340}$	西部嘉峪关	2		2	0.600 0	0.600 0
	西部平原	19	7	12	4.880 3	4.676 4
X$_{7102300}$	黑河西部	19	7	12	4.880 5	4.676 6
X$_{7102}$	黑河流域	229	48	181	26.703 2	25.515 1

流域分区		提水工程			
编 号	名 称	数 量（处）	其 中		设计供水能力	现状供水能力
			大中型	小 型	设计供水能力	现状供水能力
$X_{7102110}$	东部海北山区	12		12	0.038 8	0.038 8
$X_{7102120}$	东部张掖山区					
	东部山区	12		12	0.038 8	0.038 8
$X_{7102131}$	东部山丹走廊					
$X_{7102132}$	东部民乐走廊					
$X_{7102133}$	东部张掖走廊	137		137	0.057 5	0.057 5
$X_{7102134}$	东部临泽走廊	18		18	0.063 3	0.063 3
$X_{7102135}$	东部高台走廊					
$X_{7102140}$	东部酒泉鼎新					
	东部平原	155		155	0.120 8	0.120 8
$X_{7102150}$	东部额济纳					
	东部高原					
$X_{7102100}$	黑河东部	167		167	0.159 6	0.159 6
$X_{7102210}$	中部张掖山区					
	中部山区					
$X_{7102230}$	中部明花盐池					
$X_{7102220}$	中部酒泉清金					
	中部平原					
$X_{7102200}$	黑河中部					
$X_{7102310}$	西部海北山区					
$X_{7102320}$	西部张掖山区					
	西部山区					
$X_{7102331}$	西部酒泉	1		1	0.005 0	0.005 0
$X_{7102332}$	西部金塔鸳鸯					
$X_{7102340}$	西部嘉峪关					
	西部平原	1		1	0.005 0	0.005 0
$X_{7102300}$	黑河西部	1		1	0.005 0	0.005 0
X_{7102}	黑河流域	168		168	0.164 6	0.164 6

流域分区		污水处理回用工程			其他工程		
编　号	名　称	数　量（处）	设计处理能力	现状处理能力	数　量（处）	设计供水能力	现状供水能力
$X_{7102110}$	东部海北山区				120	0.020 6	0.020 6
$X_{7102120}$	东部张掖山区				240	0.043 5	0.043 5
	东部山区				360	0.064 1	0.064 1
$X_{7102131}$	东部山丹走廊				396	0.374 2	0.374 2
$X_{7102132}$	东部民乐走廊				200	0.038 5	0.038 5
$X_{7102133}$	东部张掖走廊				1 067	0.940 5	0.940 5
$X_{7102134}$	东部临泽走廊				117	0.121 3	0.121 3
$X_{7102135}$	东部高台走廊				1 689	1.401 6	1.401 6
$X_{7102140}$	东部酒泉鼎新				39	0.070 0	0.070 0
	东部平原				3 508	2.946 1	2.946 1
$X_{7102150}$	东部额济纳				380	0.083 0	0.083 0
	东部高原				380	0.083 0	0.083 0
$X_{7102100}$	黑河东部				4 248	3.093 2	3.093 2
$X_{7102210}$	中部张掖山区						
	中部山区						
$X_{7102230}$	中部明花盐池				386	0.427 5	0.427 5
$X_{7102220}$	中部酒泉清金				540	0.302 2	0.302 2
	中部平原				926	0.729 7	0.729 7
$X_{7102200}$	黑河中部				926	0.729 7	0.729 7
$X_{7102310}$	西部海北山区					0.729 7	0.729 7
$X_{7102320}$	西部张掖山区						
	西部山区						
$X_{7102331}$	西部酒泉				869	0.570 8	0.570 8
$X_{7102332}$	西部金塔鸳鸯				160	0.304 3	0.304 3
$X_{7102340}$	西部嘉峪关				195	0.350 0	0.350 0
	西部平原				1 224	1.225 1	1.225 1
$X_{7102300}$	黑河西部				1 224	1.225 1	1.225 1
X_{7102}	黑河流域				6 398	5.048 0	5.048 0

表 7-2　　　　　　　　　1995 年黑河流域行政分区水利建设情况　　　　　　（单位:亿 m³）

行政分区		蓄水工程								
编　号	名　称	数量（座）	大型	中型	小一型	小二型	库容	兴利库容	设计供水能力	现状供水能力
632200	海北州									
630000	青海省									
622200	张掖地区	44		6	17	21	1.835 2	1.636 9	7.537 7	5.769 7
622100	酒泉地区	50	1	1	14	34	1.986 6	1.619 1	4.055 3	3.901 2
620200	嘉峪关市	2		1		1	0.641 5	0.591 5	0.600 0	0.600 0
620000	甘肃省	96	1	8	31	56	4.463 3	3.847 5	12.193 0	10.270 9
152900	阿拉善盟	2		1		1	0.104 0	0.100 0	0.200 0	0.200 0
150000	内蒙古自治区	2		1		1	0.104 0	0.100 0	0.200 0	0.200 0
	黑河流域	98	1	9	31	57	4.567 3	3.947 5	12.393 0	10.470 9

行政分区		引水工程				
编　号	名　称	数量（处）	大中型	小型	设计供水能力	现状供水能力
632200	海北州	25		25	0.147 0	0.147 0
630000	青海省	25		25	0.147 0	0.147 0
622200	张掖地区	104	36	68	16.586 3	15.731 0
622100	酒泉地区	29	12	17	7.069 9	6.737 1
620200	嘉峪关市	2		2	0.600 0	0.600 0
620000	甘肃省	135	48	87	24.256 2	23.068 1
152900	阿拉善盟	69		69	2.300 0	2.300 0
150000	内蒙古自治区	69		69	2.300 0	2.300 0
	黑河流域	229	48	181	26.703 2	25.515 1

行政分区		提水工程				
编 号	名 称	数 量（处）	其 中		设计供水能力	现状供水能力
			大中型	小 型		
632200	海北州	12		12	0.038 8	0.038 8
630000	青海省	12		12	0.038 8	0.038 8
622200	张掖地区	155		155	0.120 8	0.120 8
622100	酒泉地区	1		1	0.005 0	0.005 0
620200	嘉峪关市					
620000	甘肃省	156		156	0.125 8	0.125 8
152900	阿拉善盟					
150000	内蒙古自治区					
	黑河流域	168		168	0.164 6	0.164 6

行政分区		污水处理回用工程			其他工程		
编 号	名 称	数 量（处）	设计处理能力	现状处理能力	数 量（处）	设计供水能力	现状供水能力
632200	海北州				120	0.020 6	0.020 6
630000	青海省				120	0.020 6	0.020 6
622200	张掖地区				4 095	3.347 1	3.347 1
622100	酒泉地区				1 608	1.247 3	1.247 3
620200	嘉峪关市				195	0.350 0	0.350 0
620000	甘肃省				5 898	4.944 4	4.944 4
152900	阿拉善盟				380	0.083 0	0.083 0
150000	内蒙古自治区				380	0.083 0	0.083 0
	黑河流域				6 398	5.048 0	5.048 0

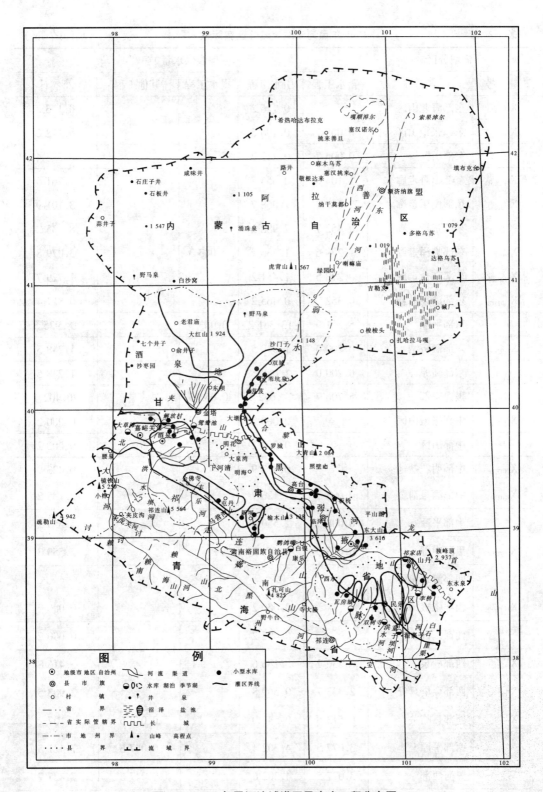

图 7-1　1995 年黑河流域灌区及水库工程分布图

表 7-3　　　　　　　　　　　1995 年黑河流域流域分区实际供水量　　　　　　　（单位:亿 m³）

流域分区		地表供水量				
编　号	名　　称	蓄水工程	引水工程	提水工程	其他工程	小　计
$X_{7102110}$	东部海北山区		0.116 2			0.116 2
$X_{7102120}$	东部张掖山区	0.005 7	0.106 5			0.112 2
	东部山区	0.005 7	0.222 7			0.228 4
$X_{7102131}$	东部山丹走廊	1.104 8	0.656 7			1.761 5
$X_{7102132}$	东部民乐走廊	2.033 2	1.068 7			3.101 9
X_{710213}	东部张掖走廊	0.452 7	7.982 5			8.435 2
$X_{7102134}$	东部临泽走廊	1.279 6	1.736 9	0.063 3		3.079 8
$X_{7102135}$	东部高台走廊	0.278 5	1.451 2			1.729 7
$X_{7102140}$	东部酒泉鼎新	0.352 2	0.465 2			0.817 4
	东部平原	5.501 0	13.361 2	0.063 3		18.925 5
$X_{7102150}$	东部额济纳	0.200 0	1.048 5			1.248 5
	东部高原	0.200 0	1.048 5			1.248 5
$X_{7102100}$	黑河东部	5.706 7	14.632 4	0.063 3		20.402 4
$X_{7102210}$	中部张掖山区		0.000 2			0.000 2
	中部山区		0.000 2			0.000 2
$X_{7102230}$	中部明花盐池		0.423 9			0.423 9
$X_{7102220}$	中部酒泉清金	0.008 5	2.126 7			2.135 2
	中部平原	0.008 5	2.550 6			2.559 1
$X_{7102200}$	黑河中部	0.008 5	2.550 8			2.559 3
$X_{7102310}$	西部海北山区					
$X_{7102320}$	西部张掖山区		0.000 2			0.000 2
	西部山区		0.000 2			0.000 2
$X_{7102331}$	西部酒泉	0.230 2	3.186 6			3.416 8
$X_{7102332}$	西部金塔鸳鸯	2.333 7	0.569 8			2.903 5
$X_{7102340}$	西部嘉峪关	0.513 6	0.546 0		0.047 6	1.107 2
	西部平原	3.077 5	4.302 4		0.047 6	7.427 5
$X_{7102300}$	黑河西部	3.077 5	4.302 6		0.047 6	7.427 7
X_{7102}	黑河流域	8.792 7	21.485 8	0.063 3	0.047 6	30.389 4

流域分区		地下供水量				外调供水	污水处理回水	其他供水	总计
编 号	名 称	深层水	浅层水	其他	小计				
X$_{7102110}$	东部海北山区		0.020 6		0.020 6				0.136 8
X$_{7102120}$	东部张掖山区		0.009 7		0.009 7				0.121 9
	东部山区		0.030 3		0.030 3				0.258 7
X$_{7102131}$	东部山丹走廊		0.374 2		0.374 2				2.135 7
X$_{7102132}$	东部民乐走廊		0.038 5		0.038 5				3.140 4
X$_{7102133}$	东部张掖走廊		0.651 0		0.651 0				9.086 2
X$_{7102134}$	东部临泽走廊		0.121 3		0.121 3				3.201 1
X$_{7102135}$	东部高台走廊		0.277 6		0.277 6				2.007 3
X$_{7102140}$	东部酒泉鼎新		0.070 0		0.070 0				0.887 4
	东部平原		1.532 6		1.532 6				20.458 1
X$_{7102150}$	东部额济纳		0.083 0		0.083 0				1.331 5
	东部高原		0.083 0		0.083 0				1.331 5
X$_{7102100}$	黑河东部		1.645 9		1.645 9				22.048 3
X$_{7102210}$	中部张掖山区								0.000 2
	中部山区								0.000 2
X$_{7102230}$	中部明花盐池		0.111 0		0.111 0				0.534 9
X$_{7102220}$	中部酒泉清金		0.302 2		0.302 2				2.437 4
	中部平原		0.413 2		0.413 2				2.972 3
X$_{7102200}$	黑河中部		0.413 2		0.413 2				2.972 5
X$_{7102310}$	西部海北山区								
X$_{7102320}$	西部张掖山区								0.000 2
	西部山区								0.000 2
X$_{7102331}$	西部酒泉		0.570 8		0.570 8				3.987 6
X$_{7102332}$	西部金塔鸳鸯		0.304 3		0.304 3				3.207 8
X$_{7102340}$	西部嘉峪关		0.253 4		0.253 4				1.360 6
	西部平原		1.128 5		1.128 5				8.556 0
X$_{7102300}$	黑河西部		1.128 5		1.128 5				8.556 2
X$_{7102}$	黑河流域		3.187 6		3.187 6				33.577 0

表 7-4　　　　　　　　　　1995 年黑河流域行政分区实际供水量　　　　　　（单位:亿 m³）

行政分区		地表供水量				
编　号	名　　称	蓄水工程	引水工程	提水工程	其他工程	小　计
632200	海北州		0.116 2			0.116 2
630000	青海省		0.116 2			0.116 2
622200	张掖地区	5.154 5	13.426 8	0.063 3		18.644 6
622100	酒泉地区	2.924 6	6.348 3			9.272 9
620200	嘉峪关市	0.513 6	0.546 0		0.047 6	1.107 2
620000	甘肃省	8.592 7	20.321 1	0.063 3	0.047 6	29.024 7
152900	阿拉善盟	0.200 0	1.048 5			1.248 5
150000	内蒙古自治区	0.200 0	1.048 5			1.248 5
	黑河流域	8.792 7	21.485 8	0.063 3	0.047 6	30.389 4

行政分区		地下供水量				外调供水	污水处理回水	其他供水	总　计
编　号	名　　称	深层水	浅层水	其他	小　计				
632200	海北州		0.020 6		0.020 6				0.136 8
630000	青海省		0.020 6		0.020 6				0.136 8
622200	张掖地区		1.583 3		1.583 3				20.227 9
622100	酒泉地区		1.247 3		1.247 3				10.520 2
620200	嘉峪关市		0.253 4		0.253 4				1.360 6
620000	甘肃省		3.084 0		3.084 0				32.108 7
152900	阿拉善盟		0.083 0		0.083 0				1.331 5
150000	内蒙古自治区		0.083 0		0.083 0				1.331 5
	黑河流域		3.187 6		3.187 6				33.577 0

3.2.2　工业用水

1995 年全流域工业用水 1.424 亿 m³,其中青海省工业用水量 0.018 亿 m³,占流域全部工业用水量的 1.3%;甘肃省工业用水量 1.396 亿 m³,占流域全部工业用水量的 98.0%;内蒙古自治区工业用水量 0.01 亿 m³,仅占流域全部工业用水量的 0.7%。

3.2.3 城镇生活用水

1995 年全流域城镇生活用水 0.173 0 亿 m³,其中青海省 0.002 6 亿 m³,占流域全部城镇生活用水量 1.5%;甘肃省 0.167 4 亿 m³,占流域全部城镇生活用水量 96.8%;内蒙古自治区 0.003 0 亿 m³,占流域全部城镇生活用水量的 1.7%。

3.2.4 农村人、畜用水

1995 年全流域农村生活用水量 0.231 6 亿 m³,其中青海省 0.020 8 亿 m³,占流域全部农村人畜用水量的 9.0%;甘肃省 0.200 8 亿 m³,占流域全部农村人畜用水量的 86.7%;内蒙古自治区 0.01 亿 m³,占流域全部农村人畜用水量的 4.3%。

3.2.5 总用水量

1995 年全流域总用水量 33.577 亿 m³,扣除地下水用水量 3.187 6 亿 m³,地表水用水量 30.389 4 亿 m³,现状地表水资源利用率达到 87.9%。按行业部门划分,农业用水 31.748 6 亿 m³,占流域全部用水量的 94.6%;工业用水量 1.423 8 亿 m³,占流域全部用水量的 4.2%;城镇生活用水 0.173 0 亿 m³,占流域全部用水量的 0.5%;农村生活用水 0.231 6 亿 m³,占 0.7%。按行政区划统计,青海省用水量 0.136 8 亿 m³,占流域全部用水量的 0.4%;甘肃省用水量 32.108 7 亿 m³,占流域全部用水量的 95.6%;内蒙古自治区用水量 1.331 5 亿 m³,占流域全部用水量的 4.0%。黑河流域各分区行业用水情况详见表 7-5、表 7-6。

3.3 现状耗水量

耗水量是指在供、用水过程中,通过蒸发、蒸腾、土壤吸收、产品带走、居民和牲畜饮用等形式消耗掉,而且不能回归到地表水体或地下含水层的水量。农业灌溉耗水量为毛用水量与回归水量(含对地下水的补给)之差,根据渠系有效利用系数、田间回归系数及地下水计算参数等有关资料确定耗水率,采用下式计算:

$$W_耗 = W_c(1-\eta)(1-K_1) + (W_c \cdot \eta - W_c{}')(1-K_2) \tag{7-1}$$

式中:$W_耗$——耗水量;

W_c——引水量;

$W_c{}'$——渠道引水未进入田间而直接退入河道的水量;

η——渠系有效利用系数;

K_1——渠系渗透系数;

K_2——田间回归系数。

黑河流域山水灌区渠系有效利用系数为 0.55 左右,渠系渗透系数,根据甘肃省水科所在石羊河流域试验成果约为 0.65,田间回归系数采用 0.23。按照上式估算农业用水耗水率约为 0.58。具体计算耗水量时根据各区渠系状况、灌溉制度、作物组成等具体情况分别计算。

工业和城镇生活的耗水量为取水量与废污水排放量之差。农村生活用水分散,一般没有给排水设施,用水定额低,其引水量绝大部分甚至全部被消耗掉。

流域分区		城镇生活用水量				工业用水量				
编号	名称	居民生活	公共用水	小计	其中地下水	火电	一般工业	乡镇工业	小计	其中地下水
$X_{7102110}$	东部海北山区	0.002 6		0.002 6	0.002 6		0.018 0		0.018 0	0.018 0
$X_{7102120}$	东部张掖山区	0.002 2		0.002 2				0.007 4	0.007 4	
	东部山区	0.004 8		0.004 8	0.002 6		0.018 0	0.007 4	0.025 4	0.018 0
$X_{7102131}$	东部山丹走廊	0.006 7		0.006 7	0.006 7		0.028 8	0.045 6	0.074 4	0.056 4
$X_{7102132}$	东部民乐走廊	0.003 4		0.003 4			0.025 4	0.025 4	0.050 8	0.038 5
$X_{7102133}$	东部张掖走廊	0.028 3		0.028 3	0.025 5	0.030 6	0.113 6	0.105 1	0.249 3	0.188 9
$X_{7102134}$	东部临泽走廊	0.004 0		0.004 0			0.013 2	0.063 6	0.076 8	0.058 2
$X_{7102135}$	东部高台走廊	0.004 5		0.004 5	0.004 5		0.012 3	0.034 3	0.046 6	0.035 3
$X_{7102140}$	东部酒泉鼎新	0.001 1		0.001 1				0.010 7	0.010 7	
	东部平原	0.048 0		0.048 0	0.036 7	0.030 6	0.193 3	0.284 7	0.508 6	0.377 3
$X_{7102150}$	东部额济纳	0.003 0		0.003 0	0.003 0		0.010 0		0.010 0	0.010 0
	东部高原	0.003 0		0.003 0	0.003 0		0.010 0		0.010 0	0.010 0
$X_{7102100}$	黑河东部	0.055 8		0.055 8	0.042 3	0.030 6	0.221 3	0.292 1	0.544 0	0.405 3
$X_{7102210}$	中部张掖山区									
	中部山区									
$X_{7102230}$	中部明花盐池									
$X_{7102220}$	中部酒泉清金	0.000 5		0.000 5				0.031 6	0.031 6	0.014 8
	中部平原	0.000 5		0.000 5				0.031 6	0.031 6	0.014 8
$X_{7102200}$	黑河中部	0.000 5		0.000 5				0.031 6	0.031 6	0.014 8
$X_{7102310}$	西部海北山区									
$X_{7102320}$	西部张掖山区									
	西部山区									
$X_{7102331}$	西部酒泉	0.023 7		0.023 7	0.021 9	0.013 6	0.087 7	0.050 9	0.152 2	0.071 1
$X_{7102332}$	西部金塔鸳鸯	0.004 3		0.004 3	0.004 3		0.026 5	0.016 9	0.043 4	0.020 3
$X_{7102340}$	西部嘉峪关	0.052 8	0.035 9	0.088 7	0.031 5	0.013 6	0.630 0	0.009 0	0.652 6	0.195 9
	西部平原	0.080 8	0.035 9	0.116 7	0.057 7	0.027 2	0.744 2	0.076 8	0.848 2	0.287 3
$X_{7102300}$	黑河西部	0.080 8	0.035 9	0.116 7	0.057 7	0.027 2	0.744 2	0.076 8	0.848 2	0.287 3
X_{7102}	黑河流域	0.137 1	0.035 9	0.173 0	0.100 0	0.057 8	0.965 5	0.400 5	1.423 8	0.707 4

流域分区		农业用水量					
		农田灌溉			林牧副渔业	小计	其中地下水
编号	名称	水田	水浇地	商品菜田			
X₇₁₀₂₁₁₀	东部海北山区		0.095 4			0.095 4	
X₇₁₀₂₁₂₀	东部张掖山区		0.071 5		0.038 4	0.109 9	0.009 7
	东部山区		0.166 9		0.038 4	0.205 3	0.009 7
X₇₁₀₂₁₃₁	东部山丹走廊		1.728 7	0.002 8	0.298 8	2.030 3	0.305 1
X₇₁₀₂₁₃₂	东部民乐走廊		2.981 7	0.008 4	0.064 5	3.054 6	
X₇₁₀₂₁₃₃	东部张掖走廊	0.763 1	7.199 5	0.613 9	0.181 5	8.758 0	0.424 2
X₇₁₀₂₁₃₄	东部临泽走廊	0.508 7	2.403 7	0.093 1	0.096 4	3.101 9	0.058 6
X₇₁₀₂₁₃₅	东部高台走廊		1.632 8	0.119 7	0.187 0	1.939 9	0.221 5
X₇₁₀₂₁₄₀	东部酒泉鼎新		0.763 3	0.018 1	0.090 6	0.872 0	0.070 0
	东部平原	1.271 8	16.709 7	0.856 0	0.919 2	19.756 7	1.079 4
X₇₁₀₂₁₅₀	东部额济纳		0.080 0		1.228 5	1.308 5	0.060 0
	东部高原		0.080 0		1.228 5	1.308 5	0.060 0
X₇₁₀₂₁₀₀	黑河东部	1.271 8	16.956 6	0.856 0	2.186 1	21.270 5	1.149 1
X₇₁₀₂₂₁₀	中部张掖山区						
	中部山区						
X₇₁₀₂₂₃₀	中部明花盐池		0.396 2	0.027 3	0.107 4	0.530 9	0.107 0
X₇₁₀₂₂₂₀	中部酒泉清金		2.290 1	0.065 5	0.036 7	2.392 3	0.287 4
	中部平原		2.686 3	0.092 8	0.144 1	2.923 2	0.394 4
X₇₁₀₂₂₀₀	黑河中部		2.686 3	0.092 8	0.144 1	2.923 2	0.394 4
X₇₁₀₂₃₁₀	西部海北山区						
X₇₁₀₂₃₂₀	西部张掖山区						
	西部山区						
X₇₁₀₂₃₃₁	西部酒泉		3.468 2	0.261 5	0.061 9	3.791 6	0.463 0
X₇₁₀₂₃₃₂	西部金塔鸳鸯		2.769 2	0.064 1	0.314 0	3.147 3	0.270 3
X₇₁₀₂₃₄₀	西部嘉峪关		0.486 3	0.056 7	0.073 0	0.616 0	0.026 0
	西部平原		6.723 7	0.382 3	0.448 9	7.554 9	0.759 3
X₇₁₀₂₃₀₀	黑河西部		6.723 7	0.382 3	0.448 9	7.554 9	0.759 3
X₇₁₀₂	黑河流域	1.271 8	26.366 6	1.331 1	2.779 1	31.748 6	2.302 8

| 流域分区 | | 生态环境及其他用水量 | 农村生活用水量 | | 总用水量 | |
编 号	名 称		小 计	其中地下水	合 计	其中地下水
X$_{7102110}$	东部海北山区		0.020 8		0.136 8	0.020 6
X$_{7102120}$	东部张掖山区		0.002 4		0.121 9	0.009 7
	东部山区		0.023 2		0.258 7	0.030 3
X$_{7102131}$	东部山丹走廊		0.024 3	0.006 0	2.135 7	0.374 2
X$_{7102132}$	东部民乐走廊		0.031 6		3.140 4	0.038 5
X$_{7102133}$	东部张掖走廊		0.050 6	0.012 4	9.086 2	0.651 0
X$_{7102134}$	东部临泽走廊		0.018 4	0.004 5	3.201 1	0.121 3
X$_{7102135}$	东部高台走廊		0.016 3	0.016 3	2.007 3	0.277 6
X$_{7102140}$	东部酒泉鼎新		0.003 6		0.887 4	0.070 0
	东部平原		0.144 8	0.039 2	20.458 1	1.532 6
X$_{7102150}$	东部额济纳		0.010 0	0.010 0	1.331 5	0.083 0
	东部高原		0.010 0	0.010 0	1.331 5	0.083 0
X$_{7102100}$	黑河东部		0.178 0	0.049 2	22.048 3	1.645 9
X$_{7102210}$	中部张掖山区		0.000 2		0.000 2	
	中部山区		0.000 2		0.000 2	
X$_{7102230}$	中部明花盐池		0.004 0	0.004 0	0.534 9	0.111 0
X$_{7102220}$	中部酒泉清金		0.013 0		2.437 4	0.302 2
	中部平原		0.017 0	0.004 0	2.972 3	0.413 2
X$_{7102200}$	黑河中部		0.017 2	0.004 0	2.972 5	0.413 2
X$_{7102310}$	西部海北山区					
X$_{7102320}$	西部张掖山区		0.000 2		0.000 2	
	西部山区		0.000 2		0.000 2	
X$_{7102331}$	西部酒泉		0.020 1	0.014 8	3.987 6	0.570 8
X$_{7102332}$	西部金塔鸳鸯		0.012 8	0.009 4	3.207 8	0.304 3
X$_{7102340}$	西部嘉峪关		0.003 3		1.360 6	0.253 4
	西部平原		0.036 2	0.024 2	8.556 0	1.128 5
X$_{7102300}$	黑河西部		0.036 4	0.024 2	8.556 2	1.128 5
X$_{7102}$	黑河流域		0.231 6	0.077 4	33.577 0	3.187 6

表 7-6　　　　　　　　　　1995年黑河流域行政分区实际用水情况　　　　　　　（单位：亿 m³）

行政分区 编号	行政分区 名称	城镇生活用水量 居民生活	城镇生活用水量 公共用水	城镇生活用水量 小计	城镇生活用水量 其中地下水	工业用水量 火电	工业用水量 一般工业	工业用水量 乡镇工业	工业用水量 小计	工业用水量 其中地下水
632200	海北州	0.003		0.003	0.003		0.018		0.018	0.018
630000	青海省	0.003		0.003	0.003		0.018		0.018	0.018
622200	张掖地区	0.049		0.049	0.037	0.031	0.193	0.281	0.505	0.377
622100	酒泉地区	0.030		0.030	0.026	0.014	0.114	0.110	0.238	0.106
620200	嘉峪关市	0.053		0.089	0.032	0.014	0.630	0.01	0.653	0.196
620000	甘肃省	0.132		0.167	0.094	0.058	0.938	0.401	1.396	0.679
152900	阿拉善盟	0.003		0.003	0.003		0.010		0.010	0.010
150000	内蒙古自治区	0.003		0.003	0.003		0.010		0.010	0.010
	黑河流域	0.137	0.036	0.173	0.100	0.058	0.966	0.401	1.424	0.707

行政分区 编号	行政分区 名称	农业用水量 农田灌溉 水田	农业用水量 农田灌溉 水浇地	农业用水量 农田灌溉 商品	农业用水量 林牧副渔业	农业用水量 小计	农业用水量 其中地下水	生态及其他用水	农村生活用水量 小计	农村生活用水量 其中地下水	总用水量 合计	总用水量 其中地下水
632200	海北州		0.095			0.095			0.021		0.137	0.021
630000	青海省		0.095			0.095			0.021		0.137	0.021
622200	张掖地区	1.272	16.414	0.865	0.974	19.526	1.126		0.148	0.043	20.228	1.583
622100	酒泉地区		9.291	0.409	0.503	10.203	1.091		0.050	0.024	10.520	1.247
620200	嘉峪关市		0.486	0.057	0.073	0.616	0.026		0.003		1.361	0.253
620000	甘肃省	1.272	26.192	1.331	1.551	30.345	2.243		0.201	0.067	32.109	3.084
152900	阿拉善盟		0.080		1.229	1.309	0.060		0.010	0.010	1.332	0.083
150000	内蒙古自治区		0.080		1.229	1.309	0.060		0.010	0.010	1.332	0.083
	黑河流域	1.272	26.367	1.331	2.779	31.749	2.303		0.232	0.077	33.578	3.188

经计算,1995年全流域实际耗水量 20.004 1 亿 m³,耗水率为 59.6%,其中地表水耗水量 18.057 7 亿 m³,耗水率 59.4%。按行业划分,农业耗水量 19.009 1 亿 m³,占全部耗水量的 95.0%,耗水率为 59.9%;工业耗水量 0.682 3 亿 m³,占全部耗水量的 3.4%,耗水率 47.9%;城镇生活耗水量为 0.081 1 亿 m³,占全部耗水量的 0.4%,耗水率 47.0%;

农村生活耗水量 0.231 6 亿 m³，占全部耗水量的 1.2%，耗水率 100%。按行政区划分，青海省耗水量为 0.084 2 亿 m³，占全部耗水量的 0.4%；甘肃省耗水量 18.903 6 亿 m³，占全部耗水量的 94.5%；内蒙古自治区耗水量为 1.016 3 亿 m³，占全部耗水量的 5.1%。黑河流域各分区分行业耗水情况详见表 7-7、表 7-8。

表 7-7　　　　　　　　　1995 年黑河流域流域分区耗水量及回归水量分析统计

(单位：水量，亿 m³；耗水率，%)

流域分区		城镇生活			工业用水				
编　号	名　称	耗水率	耗水量	排污水量	电力行业耗水率	一般工业耗水率	乡镇工业耗水率	耗水量	排污水量
X₇₁₀₂₁₁₀	东部海北山区	47.0	0.001 2	0.001 4		49.0	49.0	0.008 8	0.009 2
X₇₁₀₂₁₂₀	东部张掖山区	47.0	0.001 0	0.001 2		49.0	49.0	0.003 6	0.003 8
	东部山区	47.0	0.002 2	0.002 6		49.0	49.0	0.012 4	0.013 0
X₇₁₀₂₁₃₁	东部山丹走廊	47.0	0.003 1	0.003 6		45.0	45.0	0.033 5	0.040 9
X₇₁₀₂₁₃₂	东部民乐走廊	47.0	0.001 6	0.001 8		45.0	45.0	0.022 8	0.028 0
X₇₁₀₂₁₃₃	东部张掖走廊	47.0	0.013 3	0.015 0	40.0	45.0	45.0	0.110 6	0.138 7
X₇₁₀₂₁₃₄	东部临泽走廊	47.0	0.001 9	0.002 1		45.0	45.0	0.034 5	0.042 3
X₇₁₀₂₁₃₅	东部高台走廊	47.0	0.002 1	0.002 4		45.0	45.0	0.020 9	0.025 7
X₇₁₀₂₁₄₀	东部酒泉鼎新	47.0	0.000 5	0.000 6	40.0	50.0	50.0	0.005 4	0.005 3
	东部平原	47.0	0.022 5	0.025 5		45.0	45.0	0.227 7	0.280 9
X₇₁₀₂₁₅₀	东部额济纳	47.0	0.001 4	0.001 6		49.0	49.0	0.004 9	0.005 1
	东部高原	47.0	0.001 4	0.001 6	40.0	49.0		0.004 9	0.005 1
X₇₁₀₂₁₀₀	黑河东部	47.0	0.026 1	0.029 7		45.0	45.0	0.245 0	0.299 0
X₇₁₀₂₂₁₀	中部张掖山区								
	中部山区								
X₇₁₀₂₂₃₀	中部明花盐池								
X₇₁₀₂₂₂₀	中部酒泉清金	47.0	0.000 2	0.000 3		50.0	50.0	0.015 8	0.015 8
	中部平原	47.0	0.000 2	0.000 3		50.0	50.0	0.015 8	0.015 8
X₇₁₀₂₂₀₀	黑河中部	47.0	0.000 2	0.000 3		50.0	50.0	0.015 8	0.015 8
X₇₁₀₂₃₁₀	西部海北山区								
X₇₁₀₂₃₂₀	西部张掖山区								
	西部山区								
X₇₁₀₂₃₃₁	西部酒泉	47.0	0.011 1	0.012 6	40.0	50.0	50.0	0.074 8	0.077 4
X₇₁₀₂₃₃₂	西部金塔鸳鸯	47.0	0.002 0	0.002 3		50.0	50.0	0.021 8	0.021 6
X₇₁₀₂₃₄₀	西部嘉峪关	47.0	0.041 7	0.047 0	40.0	50.0	50.0	0.324 9	0.327 7
	西部平原	47.0	0.054 8	0.061 9	40.0	50.0	50.0	0.421 5	0.426 7
X₇₁₀₂₃₀₀	黑河西部	47.0	0.054 8	0.061 9	40.0	50.0	50.0	0.421 5	0.426 7
X₇₁₀₂	黑河流域	47.0	0.081 1	0.091 9	40.0	49.0	47.0	0.682 3	0.741 5

注　农田灌溉耗水量中，包括林牧副渔；总计耗水量中，包括农村生活用水量。

流域分区		农田灌溉					总 计		
编 号	名 称	水田灌溉耗水率	旱田灌溉耗水率	耗水量	回归水量		耗水量	回归水量	
					井 灌	渠 灌		井 灌	渠 灌
$X_{7102110}$	东部海北山区		56.0	0.053 4		0.042 0	0.084 2		0.042 0
$X_{7102120}$	东部张掖山区		56.0	0.062 4	0.003 4	0.044 1	0.069 4	0.003 4	0.044 1
	东部山区		56.0	0.115 8	0.003 4	0.086 1	0.153 6	0.003 4	0.086 1
$X_{7102131}$	东部山丹走廊		57.3	1.184 7	0.108 6	0.737 0	1.245 6	0.108 6	0.737 0
$X_{7102132}$	东部民乐走廊		55.6	1.697 6		1.357 0	1.753 6		1.357 0
$X_{7102133}$	东部张掖走廊	66.8	58.9	5.245 2	0.151 0	3.361 8	5.419 7	0.151 0	3.361 8
$X_{7102134}$	东部临泽走廊	66.8	57.3	1.828 9	0.020 8	1.252 2	1.883 7	0.020 8	1.252 2
$X_{7102135}$	东部高台走廊		57.7	1.134 0	0.078 9	0.727 0	1.173 3	0.078 9	0.727 0
$X_{7102140}$	东部酒泉鼎新		56.8	0.501 0	0.024 9	0.346 1	0.510 5	0.024 9	0.346 1
	东部平原		58.3	11.591 4	0.384 2	7.781 1	11.986 4	0.384 2	7.781 1
$X_{7102150}$	东部额济纳		77.0	1.000 0	0.021 4	0.287 1	1.016 3	0.021 4	0.287 1
	东部高原		77.0	1.000 0	0.021 4	0.287 1	1.016 3	0.021 4	0.287 1
$X_{7102100}$	黑河东部		59.5	12.707 2	0.409 0	8.154 3	13.156 3	0.409 0	8.154 3
$X_{7102210}$	中部张掖山区						0.000 2		
	中部山区						0.000 2		
$X_{7102230}$	中部明花盐池		57.7	0.313 8	0.038 1	0.179 0	0.317 8	0.038 1	0.179 0
$X_{7102220}$	中部酒泉清金		58.1	1.408 0	0.102 3	0.882 0	1.437 0	0.102 3	0.882 0
	中部平原		58.0	1.721 8	0.140 4	1.061 0	1.754 8	0.140 4	1.061 0
$X_{7102200}$	黑河中部		58.0	1.721 8	0.140 4	1.061 0	1.755 0	0.140 4	1.061 0
$X_{7102310}$	西部海北山区								
$X_{7102320}$	西部张掖山区						0.000 2		
	西部山区						0.000 2		
$X_{7102331}$	西部酒泉		60.2	2.302 1	0.164 8	1.324 7	2.408 1	0.164 8	1.324 7
$X_{7102332}$	西部金塔鸳鸯		60.2	1.906 1	0.096 2	1.145 0	1.942 7	0.096 2	1.145 0
$X_{7102340}$	西部嘉峪关		60.2	0.371 9	0.009 3	0.234 8	0.741 8	0.009 3	0.234 8
	西部平原		60.2	4.580 1	0.270 3	2.704 5	5.092 6	0.270 3	2.704 5
$X_{7102300}$	黑河西部		60.2	4.580 1	0.270 3	2.704 5	5.092 8	0.270 3	2.704 5
X_{7102}	黑河流域	66.8	59.5	19.009 1	0.819 7	11.919 8	20.004 1	0.819 7	11.919 8

表 7-8　　　　1995 年黑河流域行政分区耗水量及回归水量分析统计

（单位：水量，亿 m³；耗水率，%）

行政分区		城镇生活			工业用水				
编号	名称	耗水率	耗水量	排污量	电力行业耗水率	一般工业耗水率	乡镇工业耗水率	耗水量	排污水量
632200	海北州	47.0	0.001 2	0.001 4		49.0	49.0	0.008 8	0.009 2
630000	青海省	47.0	0.001 2	0.001 4		49.0	49.0	0.008 8	0.009 2
622200	张掖地区	47.0	0.023 0	0.026 1	40.0			0.225 9	0.279 1
622100	酒泉地区	47.0	0.013 8	0.015 8				0.117 8	0.120 1
620200	嘉峪关市	47.0	0.041 7	0.047 0	40.0	50.0	50.0	0.324 9	0.327 7
620000	甘肃省	47.0	0.078 5	0.088 9	40.0			0.668 6	0.727 2
152900	阿拉善盟	47.0	0.001 4	0.001 6		49.0	49.0	0.004 9	0.005 1
150000	内蒙古自治区	47.0	0.001 4	0.001 6		49.0	49.0	0.004 9	0.005 1
	黑河流域	47.0	0.081 1	0.091 9	40.0	49.0	47.0	0.682 3	0.741 5

行政分区		农田灌溉					总计		
编号	名称	水田灌溉耗水率	旱田灌溉耗水率	耗水量	回归水量 井灌	回归水量 渠灌	耗水量	回归水量 井灌	回归水量 渠灌
632200	海北州		56.0	0.053 4		0.042 0	0.084 2		0.042 0
630000	青海省		56.0	0.053 4		0.042 0	0.084 2		0.042 0
622200	张掖地区	66.8	58.4	11.466 6	0.400 8	7.658 1	11.863 5	0.400 8	7.658 1
622100	酒泉地区		59.4	6.117 2	0.388 2	3.697 8	6.298 3	0.388 2	3.697 8
620200	嘉峪关市		60.2	0.371 9	0.009 3	0.234 8	0.741 8	0.009 3	0.234 8
620000	甘肃省		58.8	17.955 7	0.798 3	11.590 7	18.903 6	0.798 3	11.590 7
152900	阿拉善盟		77.0	1.000 0	0.021 4	0.287 1	1.016 3	0.021 4	0.287 1
150000	内蒙古自治区		77.0	1.000 0	0.021 4	0.287 1	1.016 3	0.021 4	0.287 1
	黑河流域	66.8	59.5	19.009 1	0.819 7	11.919 8	20.004 1	0.819 7	11.919 8

四、现状水平年(1995 年)水资源供需分析

黑河流域现状年水资源供需量，是采用甘肃省 1995 年社经指标、工程供水能力和各种定额指标计算甘肃省的供水量和需水量，采用"内蒙古牧区水利规划附表"和"额济纳旗水利规划"提出的现状供需水数据，采用青海省提供的供需水资料，在此基础上进行汇总求得。但农村生活用水(包括畜饮水)，需水定额统一按每人每天 35L，大牲畜每头每天 40L，小牲畜每只每天 12L 计。

4.1 需水量

全流域总需水量38.022 2亿 m³,其中,农业需水量31.229 9亿 m³,占总需水量的82.1%,农业需水量中,农田灌溉需水量28.450 8亿 m³,平均灌溉定额11 745m³/hm²;工业需水量1.423 8亿 m³,占总需水量的3.7%,平均万元产值需水量定额189m³/万元;城镇生活需水量0.173 0亿 m³,占总需水量的0.5%,平均每人每日需水定额117L;农村生活需水量(包括畜用水)0.375 5亿 m³,占总需水量的1.0%,生态环境需水量4.82亿 m³,占总需水量的12.7%。

青海省黑河区总需水量0.165 7亿 m³,占流域总需水量的0.4%,其中,农田灌溉需水量0.11亿 m³,占青海黑河区总需水量的66.4%,平均灌溉定额8 685m³/hm²;工业需水量0.018亿 m³,占青海黑河区总需水量的10.9%,平均万元产值需水定额286m³/万元;城镇生活需水量0.002 6亿 m³,占青海黑河区需水总量的1.6%,平均每人每日需水定额89L;农村生活需水量(包括畜用水)0.035 1亿 m³,占青海黑河区总需水量的21.1%。

甘肃省黑河区总需水量31.625 1亿 m³,占流域总需水量的83.2%,其中,农业需水量29.731 8亿 m³,占甘肃黑河区总需水量的94.0%,农业需水量中,农田灌溉需水量28.181 2亿 m³,平均灌溉定额11 865m³/hm²;工业需水量1.395 8亿 m³,占甘肃黑河区总需水量的4.4%,平均万元产值需水定额187m³/万元;城镇生活需水量0.167 4亿 m³,占甘肃黑河区总需水量的0.5%,平均每人每日需水定额119L,农村生活需水量(包括畜用水)0.330 1亿 m³(包括畜用水),占甘肃黑河区总需水量的1.1%。

内蒙古自治区总需水量6.231 4亿 m³,占流域总需水量的16.4%,其中,农业需水量1.388 6亿 m³,占内蒙古黑河区总需水量的22.28%,农业需水量中,农田灌溉需水量0.159 6亿 m³,平均灌溉定额4 935m³/hm²;工业需水量0.010 0亿 m³,占内蒙黑河区总需水量的0.16%,平均万元产值需水定额455m³/万元;城镇生活需水量0.003 0亿 m³,占内蒙古黑河区总需水量的0.05%,平均每人每日需水定额67L,农村生活需水量0.010 3亿 m³(包括畜用水),占内蒙古黑河区总需水量的0.17%;生态环境需水量4.82亿 m³(居延海补水),占内蒙古黑河区需水总量的77.34%。

黑河西部水系总需水量8.156 2亿 m³,占流域总需水量的21.5%,其中,农业需水量7.133 6亿 m³,占黑河西部需水量的87.5%,农业需水量中,农田灌溉需水量6.684 7亿 m³,平均灌溉定额12 780m³/hm²;城镇生活需水量0.116 7亿 m³,占黑河西部总需水量的1.4%;工业需水量0.848 2亿 m³,占黑河西部总需水量的10.4%;农村生活需水量(包括畜用水)0.057 7亿 m³,占黑河西部总需水量的0.7%。

黑河中部水系总需水量2.909 3亿 m³,占流域总需水量的7.7%,其中农业需水量2.849 7亿 m³,占黑河西部需水量的97.9%,农业需水量中,农田灌溉需水量2.705 6亿 m³,平均灌溉定额11 820m³/hm²,工业需水量0.031 6亿 m³,占黑河西部总需水量的1.1%;城镇生活需水量0.000 5亿 m³,农村生活需水量0.027 5亿 m³,城镇及农村生活需水量之和占黑河西部总需水量的1.0%。

黑河东部水系总需水量 26.956 7 亿 m³,占流域总需水量的 70.8%,其中,农业需水量 21.246 6 亿 m³,占黑河东部需水量的 88.8%;农业需水量中,农田灌溉需水量 19.060 5 亿 m³,平均灌溉定额 11 415m³/hm²,工业需水量 0.544 0 亿 m³,占黑河东部总需水量的 2.0%;城镇生活需水量 0.055 8 亿 m³,占黑河东部总需水量的 0.2%;农村生活需水量(包括畜用水)0.290 3 亿 m³,占黑河东部总需水量的 1.1%,生态环境需水量 4.820 0 亿 m³,占黑河东部总需水量的 17.9%。黑河流域各分区分行业现状年需水情况详见表 7-9、表 7-10。

表 7-9　　　　　　　　　1995 年黑河流域流域分区现状需水量　　　　　　　　(单位:亿 m³)

流域分区		城镇生活需水量			工业需水量			
编号	名称	居民用水	公共用水	小计	火电用水	一般工业用水	乡镇工业用水	小计
$X_{7102110}$	东部海北山区	0.002 6		0.002 6		0.018 0		0.018 0
$X_{7102120}$	东部张掖山区	0.002 2		0.002 2			0.007 4	0.007 4
	东部山区	0.004 8		0.004 8		0.018 0	0.007 4	0.025 4
$X_{7102131}$	东部山丹走廊	0.006 7		0.006 7		0.028 8	0.045 6	0.074 4
$X_{7102132}$	东部民乐走廊	0.003 4		0.003 4		0.025 4	0.025 4	0.050 8
$X_{7102133}$	东部张掖走廊	0.028 3		0.028 3	0.030 6	0.113 6	0.105 1	0.249 3
$X_{7102134}$	东部临泽走廊	0.004 0		0.004 0		0.013 2	0.063 6	0.076 8
$X_{7102135}$	东部高台走廊	0.004 5		0.004 5		0.012 3	0.034 3	0.046 6
$X_{7102140}$	东部酒泉鼎新	0.001 1		0.001 1			0.010 7	0.010 7
	东部平原	0.048 0		0.048 0	0.030 6	0.193 3	0.284 7	0.508 6
$X_{7102150}$	东部额济纳	0.003 0		0.003 0		0.010 0		0.010 0
	东部高原	0.003 0		0.003 0		0.010 0		0.010 0
$X_{7102100}$	黑河东部	0.055 8		0.055 8	0.030 6	0.221 3	0.292 1	0.544 0
$X_{7102210}$	中部张掖山区							
	中部山区							
$X_{7102230}$	中部明花盐池							
$X_{7102220}$	中部酒泉清金	0.000 5		0.000 5			0.031 6	0.031 6
	中部平原	0.000 5		0.000 5			0.031 6	0.031 6
$X_{7102200}$	黑河中部	0.000 5		0.000 5			0.031 6	0.031 6
$X_{7102310}$	西部海北山区							
$X_{7102320}$	西部张掖山区							
	西部山区							
$X_{7102331}$	西部酒泉	0.023 7		0.023 7	0.013 6	0.087 7	0.050 9	0.152 2
$X_{7102332}$	西部金塔鸳鸯	0.004 3		0.004 3		0.026 5	0.016 9	0.043 4
$X_{7102340}$	西部嘉峪关	0.052 8	0.035 9	0.088 7	0.013 6	0.630 0	0.009 0	0.652 6
	西部平原	0.080 8	0.035 9	0.116 7	0.027 2	0.744 2	0.076 8	0.848 2
$X_{7102300}$	黑河西部	0.080 8	0.035 9	0.116 7	0.027 2	0.744 2	0.076 8	0.848 2
X_{7102}	黑河流域	0.137 1	0.035 9	0.173 0	0.057 8	0.965 5	0.400 5	1.423 8

流域分区		农业需水量					农村生活需水量
编号	名称	灌溉用水			菜田用水	林牧副渔业用水	
		50%	75%	95%			
$X_{7102110}$	东部海北山区	0.110 0	0.110 0	0.110 0			0.035 1
$X_{7102120}$	东部张掖山区	0.071 5	0.071 5	0.071 5		0.038 4	0.013 4
	东部山区	0.181 5	0.181 5	0.181 5		0.038 4	0.048 5
$X_{7102131}$	东部山丹走廊	2.148 2	2.148 2	2.148 2	0.002 8	0.298 8	0.041 9
$X_{7102132}$	东部民乐走廊	3.975 1	3.975 1	3.975 1	0.008 4	0.064 5	0.046 3
$X_{7102133}$	东部张掖走廊	6.364 0	6.364 0	6.364 0	0.613 9	0.181 5	0.084 5
$X_{7102134}$	东部临泽走廊	2.260 8	2.260 8	2.260 8	0.093 1	0.096 4	0.028 2
$X_{7102135}$	东部高台走廊	2.423 4	2.423 4	2.423 4	0.119 7	0.187 5	0.025 6
$X_{7102140}$	东部酒泉鼎新	0.691 9	0.691 9	0.691 9	0.018 1	0.090 6	0.005 0
	东部平原	17.863 4	17.863 4	17.863 4	0.856 0	0.919 2	0.231 5
$X_{7102150}$	东部额济纳	0.159 6	0.159 6	0.159 6		1.228 5	0.010 3
	东部高原	0.159 6	0.159 6	0.159 6		1.228 5	0.010 3
$X_{7102100}$	黑河东部	18.204 5	18.204 5	18.204 5	0.856 0	2.181 6	0.290 3
$X_{7102210}$	中部张掖山区						0.001 3
	中部山区						0.001 3
$X_{7102230}$	中部明花盐池	0.405 6	0.405 6	0.405 6	0.027 3	0.107 4	0.006 9
$X_{7102220}$	中部酒泉清金	2.207 2	2.207 2	2.207 2	0.065 5	0.036 7	0.019 3
	中部平原	2.612 8	2.612 8	2.612 8	0.092 8	0.144 1	0.026 2
$X_{7102200}$	黑河中部	2.612 8	2.612 8	2.612 8	0.092 8	0.144 1	0.027 5
$X_{7102310}$	西部海北山区						
$X_{7102320}$	西部张掖山区						0.004 9
	西部山区						0.004 9
$X_{7102331}$	西部酒泉	3.423 2	3.423 2	3.423 2	0.261 5	0.061 9	0.030 0
$X_{7102332}$	西部金塔鸳鸯	2.454 8	2.454 8	2.454 8	0.064 1	0.314 0	0.017 7
$X_{7102340}$	西部嘉峪关	0.424 4	0.424 4	0.424 4	0.056 7	0.073 0	0.005 1
	西部平原	6.302 4	6.302 4	6.302 4	0.382 3	0.448 9	0.052 8
$X_{7102300}$	黑河西部	6.302 4	6.302 4	6.302 4	0.382 3	0.448 9	0.057 7
X_{7102}	黑河流域	27.119 7	27.119 7	27.119 7	1.331 1	2.779 1	0.375 5

流域分区		生态环境及其他需水量	总需水量		
编　号	名　称		50%	75%	95%
X₇₁₀₂₁₁₀	东部海北山区		0.165 7	0.165 7	0.165 7
X₇₁₀₂₁₂₀	东部张掖山区		0.132 9	0.132 9	0.132 9
	东部山区		0.298 6	0.298 6	0.298 6
X₇₁₀₂₁₃₁	东部山丹走廊		2.572 8	2.572 8	2.572 8
X₇₁₀₂₁₃₂	东部民乐走廊		4.148 5	4.148 5	4.148 5
X₇₁₀₂₁₃₃	东部张掖走廊		7.521 5	7.521 5	7.521 5
X₇₁₀₂₁₃₄	东部临泽走廊		2.559 3	2.559 3	2.559 3
X₇₁₀₂₁₃₅	东部高台走廊		0.807 2	0.807 2	0.807 2
X₇₁₀₂₁₄₀	东部酒泉鼎新		0.817 4	0.817 4	0.817 4
	东部平原		20.426 7	20.426 7	20.426 7
X₇₁₀₂₁₅₀	东部额济纳	4.820 0	6.231 4	6.231 4	6.231 4
	东部高原	4.820 0	6.231 4	6.231 4	6.231 4
X₇₁₀₂₁₀₀	黑河东部	4.820 0	26.956 7	26.956 7	26.956 7
X₇₁₀₂₂₁₀	中部张掖山区		0.001 3	0.001 3	0.001 3
	中部山区		0.001 3	0.001 3	0.001 3
X₇₁₀₂₂₃₀	中部明花盐池		0.547 2	0.547 2	0.547 2
X₇₁₀₂₂₂₀	中部酒泉清金		2.360 8	2.360 8	2.360 8
	中部平原		2.908 0	2.908 0	2.908 0
X₇₁₀₂₂₀₀	黑河中部		2.909 3	2.909 3	2.909 3
X₇₁₀₂₃₁₀	西部海北山区				
X₇₁₀₂₃₂₀	西部张掖山区		0.004 9	0.004 9	0.004 9
	西部山区		0.004 9	0.004 9	0.004 9
X₇₁₀₂₃₃₁	西部酒泉		3.952 5	3.952 5	3.952 5
X₇₁₀₂₃₃₂	西部金塔鸳鸯		2.898 3	2.898 3	2.898 3
X₇₁₀₂₃₄₀	西部嘉峪关		1.300 5	1.300 5	1.300 5
	西部平原		8.151 3	8.151 3	8.151 3
X₇₁₀₂₃₀₀	黑河西部		8.156 2	8.156 2	8.156 2
X₇₁₀₂	黑河流域	4.820 0	38.022 2	38.022 2	38.022 2

表 7-10　　　　　　　　**1995 年黑河流域行政分区现状需水量**　　　　　　（单位：亿 m³）

行 政 分 区		城镇生活需水量			工业需水量			
编 号	名 称	居民用水	公共用水	小 计	火电用水	一般工业用水	乡镇工业用水	小 计
632200	海北州	0.002 6		0.002 6		0.018 0		0.018 0
630000	青海省	0.002 6		0.002 6		0.018 0		0.018 0
622200	张掖地区	0.049 1		0.049 1	0.030 6	0.193 3	0.281 4	0.505 3
622100	酒泉地区	0.029 6		0.029 6	0.013 6	0.114 2	0.110 1	0.237 9
620200	嘉峪关市	0.052 8	0.035 9	0.088 7	0.013 6	0.630 0	0.009 0	0.652 6
620000	甘肃省	0.131 5	0.035 9	0.167 4	0.057 8	0.937 5	0.400 5	1.395 8
152900	阿拉善盟	0.003 0		0.003 0		0.010 0		0.010 0
150000	内蒙古自治区	0.003 0		0.003 0		0.010 0		0.010 0
	黑河流域	0.137 1	0.035 9	0.173 0	0.057 8	0.965 5	0.400 5	1.423 8

行 政 分 区		农业需水量					农村生活需水量
编 号	名 称	农灌用水			菜田用水	林牧副渔业用水	
		50%	75%	95%			
632200	海北州	0.110 0	0.110 0	0.110 0			0.035 1
630000	青海省	0.110 0	0.110 0	0.110 0			0.035 1
622200	张掖地区	17.648 6	17.648 6	17.648 6	0.865 2	0.974 4	0.253 0
622100	酒泉地区	8.777 1	8.777 1	8.777 1	0.409 2	0.503 2	0.072 0
620200	嘉峪关市	0.424 4	0.424 4	0.424 4	0.056 7	0.073 0	0.005 1
620000	甘肃省	26.850 1	26.850 1	26.850 1	1.331 1	1.550 6	0.330 1
152900	阿拉善盟	0.159 6	0.159 6	0.159 6		1.228 5	0.010 3
150000	内蒙古自治区	0.159 6	0.159 6	0.159 6		1.228 5	0.010 3
	黑河流域	27.119 7	27.119 7	27.119 7	1.331 1	2.779 1	0.375 5

行政分区		生态环境及其他需水量	农村生活需水量		
编 号	名 称		50%	75%	95%
632200	海北州		0.165 7	0.165 7	0.165 7
630000	青海省		0.165 7	0.165 7	0.165 7
622200	张掖地区		20.295 6	20.295 6	20.295 6
622100	酒泉地区		10.029 0	10.029 0	10.029 0
620200	嘉峪关市		1.300 5	1.300 5	1.300 5
620000	甘肃省		31.625 1	31.625 1	31.625 1
152900	阿拉善盟	4.820 0	6.231 4	6.231 4	6.231 4
150000	内蒙古自治区	4.820 0	6.231 4	6.231 4	6.231 4
	黑河流域	4.820 0	38.022 2	38.022 2	38.022 2

4.2 可供水量

可供水量采用各分区不同频率组合法计算,即统计各分区近10年实际供水量,进行供水量频率计算,确立各分区各种频率的代表年份,按代表年作组合分析,求得该区可供水量。内蒙古自治区和青海省可供水量采用省区提供的数据。详见表7-11、表7-12。

经分析,黑河流域50%、75%、95%三种保证率的可供水量分别为34.818 6亿 m³、32.304 5亿 m³和29.861 9亿 m³。其中,地表水可供水量分别为31.631 0亿 m³、29.116 9亿 m³和26.674 3亿 m³,分别占流域相应保证率可供水量的90.8%、90.1%和89.3%,分别占相应保证率地表水资源总量的85.7%、87.7%和92.9%;地下水可供水量3.187 6亿 m³,分别占流域三种不同保证率可供水量的9.2%、9.9%和10.7%。

青海省三种保证率的可供水量均为0.165 7亿 m³,其中地表水可供水量0.145 1亿 m³,地下水可供水量0.020 6亿 m³。

甘肃省三种保证率的可供水量,分别为34.553 7亿 m³、31.884 1亿 m³和29.396 2亿 m³。其中,地表水可供水量分别为31.469 7亿 m³、28.800 1亿 m³和26.312 2亿 m³,分别占甘肃黑河区供水量的91.1%、90.3%和89.5%;地下水可供水量3.084 0亿 m³,分别占甘肃黑河区可供水量的8.9%、9.7%和10.5%。

内蒙古自治区黑河区三种保证率可供水量,分别为2.383 0亿 m³、2.283 0亿 m³和1.983 0亿 m³。其中,地表水可供水量分别为2.3亿 m³、2.2亿 m³和1.9亿 m³,分别占内蒙古黑河区可供水量的96.5%、96.4%95.8%;地下水可供水量为0.083 0亿 m³,分别占内蒙古黑河区可供水量的3.5%、3.6%和4.2%。

黑河西部水系三种不同保证率可供水量,分别为8.134 9亿 m³、8.111 7亿 m³和8.072 8亿 m³。其中,地表水可供水量分别为7.006 4亿 m³、6.983 2亿 m³和6.944 3亿 m³,分别占黑河西部水系三种不同保证率可供水量的86.1%、86.1%和86.0%;地下水可供水量为1.128 5亿 m³,分别占黑河西部水系三种不同保证率可供水量的13.9%、13.9%和14.0%。

黑河中部水系三种不同保证率可供水量,分别为2.970 6亿 m³、2.814 3亿 m³和2.801 4亿 m³。其中,地表水可供水量分别为2.557 4亿 m³、2.401 1亿 m³和2.388 2亿 m³,分别占黑河中部水系三种不同保证率可供水量的86.1%、85.3%和85.3%;地下水可供水量为0.413 2亿 m³,分别占黑河中部水系三种不同保证率可供水量的13.9%、14.7%和14.7%。

黑河东部水系三种不同保证率可供水量,分别为23.713 1亿 m³、21.378 5亿 m³和18.987 7亿 m³。其中,地表水可供水量分别为22.067 2亿 m³、19.732 6亿 m³和17.341 8亿 m³,分别占黑河东部水系三种不同保证率可供水量的93.1%、92.3%和91.3%;地下水可供水量为1.645 9亿 m³,分别占黑河东部水系三种不同保证率可供水量的6.9%、7.7%和8.7%。

4.3 供需平衡

供需平衡后,黑河流域三种不同保证率50%、75%和95%的缺水量,分别为3.203 6

亿 m³、5.717 7 亿 m³ 和 8.160 3 亿 m³,缺水率(缺水量与需水量之比)分别为 8.4%、15.0% 和 21.5%。其中,青海黑河区,水资源丰富,需水量又少,以需定供,不缺水;甘肃黑河区,保证率为 50% 和 75% 时不缺水,保证率 95% 时缺水 2.228 9 亿 m³,缺水率为 7.0%;内蒙古黑河区缺水量分别为 3.848 4 亿 m³、3.148 4 亿 m³ 和 4.248 4 亿 m³,缺水率分别为 61.8%、63.4% 和 68.2%,主要为居延海补水问题产生的缺水。详见表 7-11、表 7-12。

表 7-11 　　　　　　　　　　　1995 年黑河流域流域分区可供水量及缺水量　　　　　　（单位:亿 m³）

流域分区		地表水			地下水			外调水		
编　号	名　称	50%	75%	95%	50%	75%	95%	50%	75%	95%
X₇₁₀₂₁₁₀	东部海北山区	0.145 1	0.145 1	0.145 1	0.020 6	0.020 6	0.020 6			
X₇₁₀₂₁₂₀	东部张掖山区	0.123 2	0.123 2	0.123 2	0.009 7	0.009 7	0.009 7			
	东部山区	0.268 3	0.268 3	0.268 3	0.030 3	0.030 3	0.030 3			
X₇₁₀₂₁₃₁	东部山丹走廊	1.233 7	1.078 9	0.912 1	0.374 2	0.374 2	0.374 2			
X₇₁₀₂₁₃₂	东部民乐走廊	2.932 3	2.730 5	2.413 5	0.038 5	0.038 5	0.038 5			
X₇₁₀₂₁₃₃	东部张掖走廊	9.568 2	8.520 5	7.187 2	0.651 0	0.651 0	0.651 0			
X₇₁₀₂₁₃₄	东部临泽走廊	5.151 8	4.791 1	4.224 2	0.121 3	0.121 3	0.121 3			
X₇₁₀₂₁₃₅	东部高台走廊	2.205 0	1.668 2	1.108 1	0.277 6	0.277 6	0.277 6			
X₇₁₀₂₁₄₀	东部酒泉鼎新	0.747 4	0.747 4	0.747 4	0.070 0	0.070 0	0.070 0			
	东部平原	21.726 1	19.391 5	17.000 7	1.532 6	1.532 6	1.532 6			
X₇₁₀₂₁₅₀	东部额济纳	2.300 0	2.200 0	1.900 0	0.083 0	0.083 0	0.083 0			
	东部高原	2.300 0	2.200 0	1.900 0	0.083 0	0.083 0	0.083 0			
X₇₁₀₂₁₀₀	黑河东部	22.067 2	19.732 6	17.341 8	1.645 9	1.645 9	1.645 9			
X₇₁₀₂₂₁₀	中部张掖山区	0.001 3	0.001 3	0.001 3						
	中部山区	0.001 3	0.001 3	0.001 3						
X₇₁₀₂₂₃₀	中部明花盐池	0.501 2	0.378 6	0.250 6	0.111 0	0.111 0	0.111 0			
X₇₁₀₂₂₂₀	中部酒泉清金	2.153 7	2.004 4	1.769 9	0.302 2	0.302 2	0.302 2			
	中部平原	2.557 4	2.401 1	2.388 2	0.413 2	0.413 2	0.413 2			
X₇₁₀₂₂₀₀	黑河中部	2.557 4	2.401 1	2.388 2	0.413 2	0.413 2	0.413 2			
X₇₁₀₂₃₁₀	西部海北山区									
X₇₁₀₂₃₂₀	西部张掖山区	0.004 9	0.004 9	0.004 9						
	西部山区	0.004 9	0.004 9	0.004 9						
X₇₁₀₂₃₃₁	西部酒泉	3.494 0	3.253 5	2.875 7	0.570 8	0.570 8	0.570 8			
X₇₁₀₂₃₃₂	西部金塔鸳鸯	3.213 1	2.655 3	2.064 6	0.304 3	0.304 3	0.304 3			
X₇₁₀₂₃₄₀	西部嘉峪关	1.050 0	1.050 0	1.050 0	0.253 4	0.253 4	0.253 4			
	西部平原	7.006 4	6.983 2	6.944 3	1.128 5	1.128 5	1.128 5			
X₇₁₀₂₃₀₀	黑河西部	7.006 4	6.983 2	6.944 3	1.128 5	1.128 5	1.128 5			
X₇₁₀₂	黑河流域	31.631 0	29.116 9	26.674 3	3.187 6	3.187 6	3.187 6			

注 全流域缺水量包括内蒙古生态环境需水量 4.82 亿 m³。

流域分区		污水处理回用量	可供水量			需水量		
编 号	名 称		50%	75%	95%	50%	75%	95%
$X_{7102110}$	东部海北山区		0.165 7	0.165 7	0.165 7	0.165 7	0.165 7	0.165 7
$X_{7102120}$	东部张掖山区		0.132 9	0.132 9	0.132 9	0.132 9	0.132 9	0.132 9
	东部山区		0.298 6	0.298 6	0.298 6	0.298 6	0.298 6	0.298 6
$X_{7102131}$	东部山丹走廊		1.607 9	1.453 1	1.286 3	2.572 8	2.572 8	2.572 8
$X_{7102132}$	东部民乐走廊		2.970 8	2.769 0	2.452 0	4.148 5	4.148 5	4.148 5
$X_{7102133}$	东部张掖走廊		10.219 2	9.171 5	7.838 2	7.521 5	7.521 5	7.521 5
$X_{7102134}$	东部临泽走廊		5.273 1	4.912 4	4.345 5	2.559 3	2.559 3	2.559 3
$X_{7102135}$	东部高台走廊		2.482 6	1.945 8	1.385 7	2.807 2	2.807 2	2.807 2
$X_{7102140}$	东部酒泉鼎新		0.817 4	0.817 4	0.817 4	0.817 4	0.817 4	0.817 4
	东部平原		23.258 7	20.924 1	18.533 3	20.426 7	20.426 7	20.426 7
$X_{7102150}$	东部额济纳		2.383 0	2.283 0	1.983 0	6.231 4	6.231 4	6.231 4
	东部高原		2.383 0	2.283 0	1.983 0	6.231 4	6.231 4	6.231 4
$X_{7102100}$	黑河东部		23.713 1	21.378 5	18.987 7	26.956 7	26.956 7	26.956 7
$X_{7102210}$	中部张掖山区		0.001 3	0.001 3	0.001 3	0.001 3	0.001 3	0.001 3
	中部山区		0.001 3	0.001 3	0.001 3	0.001 3	0.001 3	0.001 3
$X_{7102230}$	中部明花盐池		0.612 2	0.489 6	0.361 6	0.547 2	0.547 2	0.547 2
$X_{7102220}$	中部酒泉清金		2.455 9	2.306 6	2.072 1	2.360 8	2.360 8	2.360 8
	中部平原		2.970 6	2.814 3	2.801 4	2.908 0	2.908 0	2.908 0
$X_{7102200}$	黑河中部		2.970 6	2.814 3	2.801 4	2.909 3	2.909 3	2.909 3
$X_{7102310}$	西部海北山区							
$X_{7102320}$	西部张掖山区		0.004 9	0.004 9	0.004 9	0.004 9	0.004 9	0.004 9
	西部山区		0.004 9	0.004 9	0.004 9	0.004 9	0.004 9	0.004 9
$X_{7102331}$	西部酒泉		4.064 8	3.824 3	3.446 5	3.952 5	3.952 5	3.952 5
$X_{7102332}$	西部金塔鸳鸯		3.517 4	2.959 6	2.368 9	2.898 3	2.898 3	2.898 3
$X_{7102340}$	西部嘉峪关		1.303 4	1.303 4	1.303 4	1.300 5	1.300 5	1.300 5
	西部平原		8.134 9	8.111 7	8.072 8	8.151 3	8.151 3	8.151 3
$X_{7102300}$	黑河西部		8.134 9	8.111 7	8.072 8	8.156 2	8.156 2	8.156 2
X_{7102}	黑河流域		34.818 6	32.304 5	29.861 9	38.022 2	38.022 2	38.022 2

流域分区		缺水量		
编 号	名 称	50%	75%	95%
X₇₁₀₂₁₁₀	东部海北山区			
X₇₁₀₂₁₂₀	东部张掖山区			
	东部山区			
X₇₁₀₂₁₃₁	东部山丹走廊	0.964 9	1.119 7	1.286 5
X₇₁₀₂₁₃₂	东部民乐走廊	1.177 7	1.379 5	1.696 5
X₇₁₀₂₁₃₃	东部张掖走廊			
X₇₁₀₂₁₃₄	东部临泽走廊			
X₇₁₀₂₁₃₅	东部高台走廊	0.324 6	0.861 4	1.421 5
X₇₁₀₂₁₄₀	东部酒泉鼎新			
	东部平原			1.893 4
X₇₁₀₂₁₅₀	东部额济纳	3.848 4	3.948 4	4.248 4
	东部高原	3.848 4	3.948 4	4.248 4
X₇₁₀₂₁₀₀	黑河东部	3.243 6	5.578 2	7.969 0
X₇₁₀₂₂₁₀	中部张掖山区			
	中部山区			
X₇₁₀₂₂₃₀	中部明花盐池		0.057 6	0.185 6
X₇₁₀₂₂₂₀	中部酒泉清金		0.054 2	0.288 7
	中部平原		0.093 7	0.106 6
X₇₁₀₂₂₀₀	黑河中部		0.095 0	0.107 9
X₇₁₀₂₃₁₀	西部海北山区			
X₇₁₀₂₃₂₀	西部张掖山区			
	西部山区			
X₇₁₀₂₃₃₁	西部酒泉		0.128 2	0.506 0
X₇₁₀₂₃₃₂	西部金塔鸳鸯			0.529 4
X₇₁₀₂₃₄₀	西部嘉峪关			
	西部平原		0.039 6	0.078 5
X₇₁₀₂₃₀₀	黑河西部	0.021 3	0.044 5	0.083 4
X₇₁₀₂	黑河流域	3.203 6	5.717 7	8.160 3

表 7-12　　　　　　　　　1995 年黑河流域行政分区可供水量及缺水量　　　　　　（单位：亿 m³）

| 行政分区 | | 地表水 | | | 地下水 | | | 外调水 | | |
编号	名称	50%	75%	95%	50%	75%	95%	50%	75%	95%
632200	海北州	0.145 1	0.145 1	0.145 1	0.020 6	0.020 6	0.020 6			
630000	青海省	0.145 1	0.145 1	0.145 1	0.020 6	0.020 6	0.020 6			
622200	张掖地区	21.698 8	19.140 8	16.753 2	1.583 3	1.583 3	1.583 3			
622100	酒泉地区	8.720 9	8.609 3	8.509 0	1.247 3	1.247 3	1.247 3			
620200	嘉峪关市	1.050 0	1.050 0	1.050 0	0.253 4	0.253 4	0.253 4			
620000	甘肃省	31.469 7	28.800 1	26.312 2	3.084 0	3.084 0	3.084 0			
152900	阿拉善盟	2.300 0	2.200 0	1.900 0	0.083 0	0.083 0	0.083 0			
150000	内蒙古自治区	2.300 0	2.200 0	1.900 0	0.083 0	0.083 0	0.083 0			
	黑河流域	31.631 0	29.116 9	26.674 3	3.187 6	3.187 6	3.187 6			

| 行政分区 | | 污水处理回用量 | 可供水量 | | | 需水量 | | |
编号	名称		50%	75%	95%	50%	75%	95%
632200	海北州		0.165 7	0.165 7	0.165 7	0.165 7	0.165 7	0.165 7
630000	青海省		0.165 7	0.165 7	0.165 7	0.165 7	0.165 7	0.165 7
622200	张掖地区		23.282 1	20.724 1	18:336 5	20.295 6	20.295 6	20.295 6
622100	酒泉地区		9.968 2	9.856 6	9.756 3	10.029 0	10.029 0	10.029 0
620200	嘉峪关市		1.303 4	1.303 4	1.303 4	1.300 5	1.300 5	1.300 5
620000	甘肃省		34.553 7	31.884 1	29.396 2	31.625 1	31.625 1	31.625 1
152900	阿拉善盟		2.383 0	2.283 0	1.983 0	6.231 4	6.231 4	6.231 4
150000	内蒙古自治区		2.383 0	2.283 0	1.983 0	6.231 4	6.231 4	6.231 4
	黑河流域		34.818 6	32.304 5	29.861 9	38.022 2	38.022 2	38.022 2

| 行政分区 | | 缺水量 | | |
编号	名称	50%	75%	95%
632200	海北州			
630000	青海省			
622200	张掖地区			1.959 1
622100	酒泉地区	0.060 8	0.172 4	0.272 7
620200	嘉峪关市			
620000	甘肃省			2.228 9
152900	阿拉善盟	3.848 4	3.948 4	4.248 4
150000	内蒙古自治区	3.848 4	3.948 4	4.248 4
	黑河流域	3.203 6	5.717 7	8.160 3

第八章 水资源开发利用
存在的问题及对策

一、水资源开发利用程度高

根据前述分析,现状黑河流域总用水量33.577亿m^3,其中地表水30.389 4亿m^3,占现状地表水资源量的87.9%;地下水3.164 6亿m^3,占地下水可开采量的34.5%。现状黑河流域总耗水量20.004 1亿m^3,耗水率59.6%,其中地表水耗水量18.057 7亿m^3,耗水率59.4%;地下水耗水量1.946 4亿m^3,耗水率61.1%。

由此可见,再增加新的引用地表水资源的潜力已经不大。河西走廊及内蒙古阿拉善高原处于干旱、极端干旱区,年径流深不到5mm,现有的植被均依赖于祁连山地表水体补给才得以生存。文中地下水的可开采量约占平原区(含内蒙古阿拉善高原,以下同)总补给量的20.8%,占平原区地下水资源量的31.5%。地下水可开采系数比较保守,其原因就在于这些地区自产的地下水补给量很少,只占地下水资源量的8.3%,大量的地下水靠祁连山区地表水体的入渗补给。随着先进节水措施的实施,地表水体补给量也逐渐减少,地下水资源必将随之而减少。目前估算的可开采量应用于实际,虽可夺取部分无效蒸发(多年平均,平原区潜水蒸发、蒸腾量达23.33亿m^3,占平原区地下水总补给量的52.9%),由此将引起地下水位下降,并减少现有泉水溢出量,以至对生态环境产生影响。对生态环境的影响程度尚待进一步研究。

二、水资源供需矛盾日益突出

供需平衡表明,平水年全流域总需水量38.022 2亿m^3,总可供水量34.818 6亿m^3,尚缺水3.203 6亿m^3,缺水率8.4%,主要是内蒙古居延海补水需求量多,形成缺水局面。青海和甘肃基本平衡,但干旱年($P=95\%$)缺水情况更为严重。全流域缺水量8.160 3亿m^3,缺水率达到21.5%。甘肃黑河区缺水量2.228 9亿m^3,缺水率7.0%;内蒙古黑河区缺水量4.248 4亿m^3,缺水率68.2%。随着工农业生产的不断发展,水的需求量还要增加,供需矛盾将更加突出。

三、加强灌区改造,实施节水措施

目前,黑河流域中游绿洲田间配套工程不完善,渠系有效利用系数在0.55左右,农田实际灌溉定额 11 865m³/hm²，因此，目前存在的大水漫灌和串灌现象依然存在。下游绿洲缺少配套的草原灌溉工程，仍采用河道输水漫灌和浸润灌溉，造成水的浪费和损失。缓解用水紧张状况，必然大力开展节约用水，采用合理的灌溉制度，推广先进的灌水技术，实行定额灌溉、限量灌溉和精量灌溉；对工业用水，推广循环利用节水工艺，提高水的重复利用率。这是黑河水资源利用的希望所在。

四、关于居延海补水

西居延海（嘎顺淖尔）的干涸，东居延海（索果淖尔）的蓄水量逐年减少，主要原因，是受自然环境和社会环境的影响。即使按照内蒙古规划数据以 4.82 亿 m³ 的水量作为居延海的补水，从表面上看此水相当于 20 世纪 50 年代东、西居延海的蓄水量水平，如果周边生态环境得不到改善，人类活动的破坏不停止，又能维持多久？在目前水资源紧张的形势下，此项补给水量又能维持何时？为此，居延海的补水问题值得研究。作者认为：环境的变迁是一个渐变的过程，要使生态环境逐步演变为良性循环，也需要一定的过程；现状黑河流域水资源供需关系的缺口较大，东、西居延海的补水应统一规划，分期实施。

东居延海 1958 年湖水面积 35.5km²，蓄水量 0.364 亿 m³；1980 年减少到湖水面积 20km²，蓄水量 0.2 亿 m³，年水面蒸发损失约 0.50 亿 m³。如果保证每年补给大于 0.50 亿 m³ 的水面蒸发损失，既能稳定湖水面水位，又能促使湖区周边的生态环境逐步走向良性循环，直至恢复到 50 年代的水平。西居延海干涸已有 30 多年，待东居延海的生态环境恢复到适当水平时可考虑对其补水。补水的原则是补水与周边生态环境的转化要同步进行，即分期补充适当水量，逐步恢复到 50 年代水平。至于东居延海补水量多少为宜，西居延海何时开始补水，有待进一步的论证。

五、关于甘、蒙分水问题

甘、蒙分水问题，是科学和行政相结合的双重问题，只有经过科学论证和行政决策才能确定。这里不进行讨论，只就水量的变化提出一点分析。

由前述分析可知，中游用水量的增加，确实减少了河道下泄给内蒙古的水量，从图3-6得知，水量的变化大致分为两个阶段，第一阶段是 1980 年以前，中游用水对下游尚未产生大的影响，当莺落峡出现平水年水量时，正义峡年径流量为 11.2 亿 m³；1985 年以后，随着中游用水量的增加，曲线下移，莺落峡出现平水年水量时，正义峡年径流量减少至 8.55 亿 m³。

正义峡至内蒙古东、西河分水口狼心山区间，用水量约 1 亿 m³，河床渗漏较大。通过图 3-3 正义峡—狼心山年径流相关，得到现状平水年由正义峡的 10.05 亿 m³，下泄到狼心山的水量为 5.7 亿 m³；丰水年（$P=20\%$）正义峡的 12.54 亿 m³ 下泄到狼心山水量为 7.8 亿 m³；中等枯水年（$P=75\%$）正义峡的 8.29 亿 m³ 下泄到狼心山水量为 4.3 亿 m³；枯水年（$P=95\%$）正义峡的 6.43 亿 m³ 下泄到狼心山的水量为 2.8 亿 m³。

若狼心山站的实测数据可靠，正义峡站至狼心山站区间的毛用水量也仅有 1 亿 m³

左右,那么还有 3 亿~4 亿 m³ 的河道渗漏量流到何处?据地下水资源评价分析,现状水平年鼎新盆地河道入渗补给量 1.20 亿 m³,余水是否流到流域外(据了解,正义峡以下有地质断裂带,河道渗漏量是否通过地质段断裂带补给巴丹吉林沙漠),流出多少,应采取什么措施,也是值得研究的问题。

六、上、中、下游用水关系

青海省地处黑河上游,水资源丰富,现状实际用水量只有 0.14 亿 m³,占黑河总用水量的 0.4%。

甘肃省地处黑河中游,是黑河流域经济最发达的地区,是河西走廊商品粮基地的重要地区,有重要的钢铁工业和石油工业。人口占全流域的 97.3%,耕地面积占全流域的 98.5%。现状实际用水量占全流域的 95.6%。

内蒙古自治区额济纳旗,地处黑河下游,土地辽阔,占全流域面积的 48.5%;人口少,占全流域人口的 0.8%;耕地少,占全流域的 0.9%。畜牧业发达,草原面积广。现状实际用水量占全流域的 4.0%。

资料分析表明,新中国成立以来,随着中游甘肃黑河地区国民经济的不断发展,开展了开发利用黑河水资源的水利建设,用水量不断增加,减少了向下游地表水的排泄量,造成黑河下游生态环境保护用水问题。因此,中、下游用水量应当有一个科学的分配数量,既保证中游水资源适应国民经济发展的需要,又兼顾下游生态环境保护需求的水资源量。

黑河流域中、下游用水关系,应当本着团结治水,共同繁荣,全面规划,统筹兼顾,综合利用的原则,把发展生产和国土整治结合起来,实行开发和保护并举,使有限的水资源得以循环再生,持续利用,促进全流域各业的全面发展。

黑河流域中、下游水量分配是黑河流域水资源合理开发利用的关键问题。现状中游用水正处于适度阶段,下游生态环境虽出现一些问题,但尚未达到严重化程度。目前以维持下游天然绿洲现状生态平衡,中游控制发展灌溉用水为宜;近期,上中游进行水资源控制性工程建设,在继续稳定下游绿洲的基础上,进行全流域开发,建设中下游绿洲;远期,建立和完善流域内水量调配自如的水资源工程系统,达到中游建立持续高效和稳定的灌溉农业绿洲,下游维持环境较优的和有效利用水资源的灌溉草原绿洲,再考虑跨流域调水,进行高效利用,逐步达到新的平衡。

七、逐步优化黑河干流水资源利用模式

黑河流域水资源利用率高的原因,均依赖于对黑河水资源的多次重复利用,从而得以巨大的承载量,灌溉众多的土地。但水资源的净利用率并不高(指耗水量与引用水量的比值),1995 年现状只占 59.6%。如继续保持目前的水资源开发利用模式,必然导致水资源无效蒸发及耗水量的不断增加,水质亦趋恶化,又难以实现向正义峡适时、适量供水,从而很难保证向内蒙古输水。为此,必须改变现状水资源的多次重复利用模式为一次利用模式,以期提高黑河水资源的承载能力和水资源的净利用率,获取更大的经济效益和社会效益。为此建议:在开展节水措施的前提下,兴建黑河流域上、中游调蓄工程,并兴建连接上、中游水库及正义峡以下的专用输水渠,既可保证适时适量向正义峡供水,满足内蒙古的需水要求,又可减少地下水的补给量,控制细土平原带的地下水位,减少潜水蒸发量。由此可能产生对生态环境的影响,可采用人工绿洲取代天然绿洲,即前述中游建立持续高效和稳定的灌溉农业绿洲和下游的灌溉草原绿洲。

如上述建议能付诸实施,能否保证正常年正义峡的年实测径流量达到9.5亿 m³?下面用1995年现状黑河干流的各种数据进行粗略的估算,仅供参考。

1995年现状莺落峡、梨园堡二站实测年径流量17.1亿 m³,正义峡实测年径流量7.05亿 m³,即区间耗水10.05亿 m³,如扣除区间(张掖、临泽、高台三县)工农业及生活用水耗水8.3亿 m³,则无效耗水损失达1.7亿 m³。现状区间农田灌溉面积90 867hm²,耗水定额达8 655m³/hm²,现按复种指数为1.0,作物组成水稻占农田灌溉面积6.5%,其余93.5%均按春小麦计,从中国主要农作物需水量等值线查得,水稻、春小麦多年平均需水量分别为10 020m³/hm²、5 025m³/hm²,则二种作物全生育期合计需水量为5 355 m³/hm²。由此可见,开展节水措施后,如需水定额按6 000m³/hm²计,可减少无效蒸发2.4亿 m³。

关于建立上中游蓄水工程后,兴建的输水渠的有效利用系数为0.75,上游蓄水工程按多年平均莺落峡、梨园堡年径流量之和18.5亿 m³下泄,则平均有效利用量为13.9亿 m³,加上输水渠补给地下水量3.0亿 m³,合计可利用量为16.9亿 m³,扣除区间农田需水(按6 000m³/hm²)5.5亿 m³,工业、林牧业及生活用水耗水0.8亿 m³,正义峡下泄水量可达10.6亿 m³(区间降水补给约0.5亿 m³,仍为无效蒸发损失),可以达到保证正义峡正常下泄水量9.5亿 m³的要求。实质上,上述估算农田需水定额6 000m³/hm²,由于未扣除有效降水量,故显然是偏大的。该区间年平均雨量虽只有150mm,但主要集中在5~9月,占年雨量的83.8%;春小麦关键生育期,即分蘖、拔节、抽穗、灌浆期为5~7月,期间降水量占年降水量50%,降水量75mm,降水有效利用系数按0.7计,有效降水量52.5mm,折合525m³/hm²。如果采用喷灌、滴灌等节水措施,则需水定额还可以小,上述偏大的水量,可供区间规划增加各项用水需求,对采用输水渠输水过程中的无效蒸发损失量1.6亿 m³,除了部分损失了水面蒸发外,损失于浸润带的水量,可滋润渠道两侧绿化林带。

参考文献

1　杨针娘.中国冰川水资源.北京:中国环境科学技术出版社,1992

2　余应中等.甘肃省水旱灾害.郑州:黄河水利出版社,1996

3　白明等.甘肃省统计年鉴.北京:中国统计出版社,1996

4　高前兆,李福兴等.黑河流域水资源合理开发利用.兰州:甘肃科学技术出版社,1991

5　陈隆亨,曲耀光等.河西地区水土资源及其合理开发利用.北京:科学出版社,1991

6　曲焕林.中国干旱半干旱地区地下水资源评价.北京:科学出版社,1991

7　汤奇成,曲耀光等.中国干旱区水文及水资源利用.北京:科学出版社,1992

8　龚家栋.黑河干流水系地表水与地下水的转化.甘肃地质学会会刊,1990(1)

后　记

　　流域是由多种资源组成的整体,也是流域内生物与其生存环境构成的生态系统。因此,流域开发的战略规划,要同时运用整体观和经济观,既要考虑经济效益、社会效益,也要考虑生态效益、环境效益。为此,对资源必须进行综合利用,对流域必须进行综合治理,采用工程措施和生物措施相结合,全面控制整个流域的水土资源,并能够高效地、长期地维持稳定的生产力,提供优良的环境质量,以维持自然过程和人类赖以生存发展的系统。

　　目前黑河流域一些地区,因大水漫灌导致地下水位不断上升,个别地区已产生土壤次生盐渍化,这样既破坏了当地的生态环境,又使下游地区因缺水而促使生态环境进一步恶化,应当尽快纠正。节约用水在黑河流域显得十分重要,节约用水是在不影响生态环境的前提下,把有限的水资源用到黑河流域的综合开发上。为此,必须合理分配省(区)间的用水指标,各省(区)在额定的用水指标内,调整产业结构,开展节约用水。

　　综上所述,人们在利用自然资源的同时,必须认识自然规律,既适应自然,又要在利用中改造自然,促使自然界朝着有利于人类生存的方向发展。